CW00508514

LLENGUA CATALANA
NIVELL LLINDAR 1

Dolors Badia

LLENGUA CATALANA
NIVELL LLINDAR 1

amb la col·laboració de Judit Criach

Il·lustracions: Octavi Intente
Activitats informatitzades: Josep Tió

Aquest llibre es ven acompanyat d'un CD d'ús individual que té dues funcions: la primera, reprendre i ampliar els continguts de molts dels exercicis; la segona, consultar el *Solucionari* de tots els exercicis. Funciona en qualsevol ordinador PC compatible amb un lector de CD, un monitor color i un sistema basat en Windows 9.5 o posterior.

Maquetació i muntatge: Maria del Mar Tió i Guiu Tió

Disseny de la coberta: Gemma Ricart i Ramon Català

Desena edició: agost de 2005

Apartat de Correus 366 08500 VIC
alber@e-alber.com
www.e-alber.com

ISBN: 84-88887-13-2
Dipòsit legal: B-31014-2005

Imprès a ROL-PRESS, S.L.
C. Londres, 98 08036 BARCELONA

Índex

Introducció

Aquest **LLIBRE** que teniu entre mans va dirigit a l'estudiant que s'inicia en el coneixement de la llengua catalana. La finalitat és sistematitzar i treballar d'una manera clara, senzilla i amena la gramàtica i el vocabulari elementals.

El llibre té quinze unitats temàtiques. El ***text*** inicial de cada unitat presenta els aspectes lèxics, morfològics o sintàctics que es volen treballar. El segueixen ***exercicis*** per practicar-los i quadres-resums gramaticals. Quasi tots els exercicis són tancats i, per tant, autocorrectius: trobareu el ***solucionari*** al final del llibre o en el disquet. Després de cada cinc unitats es pot avaluar l'aprenentatge amb un ***test de control***.

El **CD** que acompanya el llibre té una doble funció:

1. ***consultar el solucionari*** dels exercicis.

2. ***aprofundir els continguts*** de les activitats del llibre que tenen una icona de disquet al costat del número d'exercici.

Per utilitzar el CD col·loqueu-lo a la unitat lectora i seguiu les instruccions que us donarà la pantalla. Després de la presentació del programa, la pantalla demana si es vol consultar el ***solucionari*** o bé si es vol fer activitats d'***aprofundiment***. El funcionament és molt simple, i les activitats es presenten d'una forma eminentment lúdica; si ho voleu, el programa memoritzarà els resultats obtinguts.

1. Presentacions

- **Com et dius?**	- **Em dic** Rafel Serra.
- **D'on ets?**	- **Sóc de** Manresa.
- **On vius?**	- **Visc a** Vilanova.
- **A quin carrer vius?**	- **Visc al carrer** Nou, **número** 52.
- **Quants anys tens?**	- **Tinc** 25 anys.

- Com **es diu**?	- **Es diu** Lola Serra.
- D'on **és**?	- **És de** Badalona.
- On **viu**?	- **Viu a** Vilanova.
- A quin carrer **viu**?	- **Viu al passeig** de Mar, número 3.
- Quants anys **té**?	- **Té** 54 anys.

1 *Completa:*

Qui ets?

Em ______ Rafel, ______
de Manresa i ______ a Vilanova,
______ Nou, número 52.
______ 25 anys.

Qui és?

Ella ______ Lola. És ______
Badalona i viu ______ Vilanova, ______
passeig de Mar, 3. ______ 54 ______.

2 *I tu, qui ets?*

______

______

______

Present d'indicatiu

ara, sempre, mentre, ...

pronoms personals	ser/ésser	dir-se	tenir	viure
jo	sóc	em dic	tinc	visc
tu	ets	et dius	tens	vius
ell/ella/vostè	és	es diu	té	viu
nosaltres	som	ens diem	tenim	vivim
vosaltres	sou	us dieu	teniu	viviu
ells/elles/vostès	són	es diuen	tenen	viuen

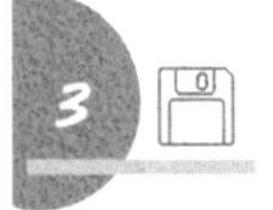

*Completa els espais buits amb les formes corresponents dels verbs **ser**, **dir-se**, **tenir** i **viure**.*

– I vosaltres qui sou?
– Nosaltres ______ les germanes del Rafel.
– I com ______ ______?
– Ens ______ Anna i Clara.
– Quants anys ______?
– Jo ______ 27 anys i la Clara ______ 29 anys.
– D'on ______?
– ______ de Manresa.
– I on ______?
– Jo ______ a Premià i la Clara ______ ______ Barcelona.

Aquelles noies ______ les germanes del Rafel. Es ______ Anna i Clara. ______ 27 i 29 anys. ______ de Manresa. L'Anna ______ ______ Premià i la Clara ______ ______ Barcelona.

– Bon dia! Ets **la** Teresa?
– Sí, i tu **el** Miquel, oi?
– Sí. Com estàs, Teresa?
– Molt bé, gràcies. I tu?
– Bé, gràcies. Encara vius aquí?
– No, ara visc a Badalona.

– Ets **en** Miquel?
– No, **el** Miquel és aquell noi d'allà.
– Gràcies. I tu, qui ets?
– Jo sóc l'Esteve.
– Hola, Esteve! Sóc l'Olga.
– L'Olga?
– Sí, l'Olga Martí.
– Ah! l'Olga Martí! Què tal, Olga?

Posa l'article personal davant de cada nom:

- Ets *el* Joan Pons?
- Aquests nois són ____ Joan i ____ Pere.
- Aquestes noies són ____ Teresa i ____ Carme.
- ____ Andreu i ____ Montserrat són de Tarragona.
- ____ Eulàlia viu amb ____ Ramon.
- Aquell senyor és ____ Llorenç i la senyora és ____ Mariona.
- ____ Maria Vila viu amb ____ Elena Fuster.

Els demostratius

l'article personal	AQUÍ	ALLÀ
El Rafel o **En** Rafel L'Ignasi	•***Aquest*** *noi és el Rafel.* •***Aquests*** *nois són en Pere i en Pau.*	•***Aquell*** *noi és el Rafel.* •***Aquells*** *nois són en Pere i en Pau.*
La Maria L'Anna	•***Aquesta*** *noia és la Maria.* •***Aquestes*** *noies són la Maria i l'Anna.*	•***Aquella*** *noia és la Maria.* •***Aquelles*** *noies són la Maria i l'Anna.*

5 *Encercla la forma adequada:*

- Aquell / (Aquells) senyors viuen a Badalona.
- Aquest / Aquests noi és de Vilanova.
- Aquest / Aquesta dona és la Teresa.
- Ja no viuen aquí aquests / aquestes senyores?
- Qui és aquella noia d'allà / d'aquí?
- Aquell / Aquest home d'allà viu al carrer València.
- Són de Reus aquelles / aquells senyors?

– Hola!
– Hola! Bon dia!
– Què tal?
– Bé, i tu?
– Molt bé, gràcies. Com sempre.
– Apa doncs, adéu. Fins demà.
– No, fins demà no. Fins dilluns.
– Ah, sí! Fins dilluns.
– Bon cap de setmana!
– Adéu!

Per saludar i acomiadar-se

Hola!
Bon dia!
Bona tarda!
Bona nit!

Adéu!
Adéu-siau!
Passi-ho bé!
Fins ara!
Fins demà!
Bon cap de setmana!

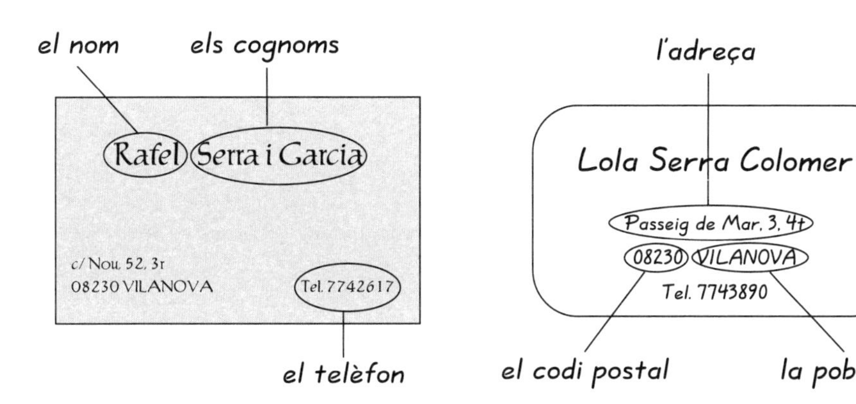

– Rafel, tens telèfon?
– Sí, és el set, set, quatre, vint-i-sis, disset.

Els números (I)

1	u, un, una	11	onze	21	vint-i-u / un / una	31	trenta-u / un / una	41	quaranta-u / un / una
2	dos, dues	12	dotze	22	vint-i-dos / dues	32	trenta-dos / dues	42	quaranta-dos / dues
3	tres	13	tretze	23	vint-i-tres	33	trenta-tres	43	quaranta-tres
4	quatre	14	catorze	24	vint-i-quatre	34	trenta-quatre		...
5	cinc	15	quinze	25	vint-i-cinc	35	trenta-cinc	50	cinquanta
6	sis	16	setze	26	vint-i-sis	36	trenta-sis	60	seixanta
7	set	17	disset	27	vint-i-set	37	trenta-set	70	setanta
8	vuit	18	divuit	28	vint-i-vuit	38	trenta-vuit	80	vuitanta
9	nou	19	dinou	29	vint-i-nou	39	trenta-nou	90	noranta
10	deu	20	vint	30	trenta	40	quaranta	100	cent

6  *Escriu amb xifres aquests números:*

dotze	12	divuit	
trenta-quatre		vuitanta-set	
seixanta-dos		quaranta-u	
vint-i-sis		vint-i-vuit	
setanta-tres		vuitanta-cinc	
noranta-set		seixanta-nou	

Escriu aquestes xifres:

8	**vuit**	13	
17		19	
21		27	
32		39	
46		54	
62		78	
85		93	
99		100	

Escriu amb lletres les xifres:

2 nois	**dos nois**
1 senyor	
22 nois	
41 homes	
72 nens	
51 senyors	
92 anys	

2 noies	**dues noies**
1 senyora	
22 noies	
41 dones	
72 nenes	
51 senyores	
92 setmanes	

2. De què fas?

Santa Coloma de Gramenet
Museu Torre Balldovina

Sta. Coloma, 25 de juny

Hola, Rafel!

Aquest estiu tinc feina!
Faig de bomber a Santa Coloma.
Treballo els mesos de juny, juliol i agost. Al setembre faig vacances i a l'octubre començo a estudiar una altra vegada.

I a tu, com et va la feina?
Què fas aquest estiu?
Fins aviat,
Una abraçada
Miquel

ESPAÑA correos 30

UTILICE EL CODIGO POSTAL EN SUS ENVIOS

STA. COLOMA GRMT. (BARNA) 27·6·96·13

Rafel Serra
C/ Nou, n. 52
08800 VILANOVA

Foto: Museu — Edita: Ajuntament de Santa Coloma de Gramenet — Prohibida la reproducció — D.L.B. 24.305-96

1

Completa els espais buits del text a partir de la postal:

Tinc notícies del Miquel. Diu que té ______ aquest ______, que fa de ______ a Santa Coloma els mesos de juny, juliol i agost i al ______ fa ______. A l'octubre comença a estudiar una altra ______. Em pregunta què faig aquest ______.

Present d'indicatiu

ara,
sempre,
mentre,
...

pronoms personals	fer	treballar
jo	faig	treballo
tu	fas	treballes
ell/ella/vostè	fa	treballa
nosaltres	fem	treballem
vosaltres	feu	treballeu
ells/elles/vostès	fan	treballen

*Completa els espais buits amb les formes corresponents dels verbs **ser**, **treballar**, **fer**:*

- I tu, què **fas** aquest estiu?
- Nosaltres ______ a la televisió i no ______ vacances.
- El Marc i l'Enric ______ en un taller mecànic i ______ vacances el desembre.
- I vosaltres, què ______? Nosaltres ara ______ en un bar.
- Jo ______ enginyer i ______ en una empresa americana.
- El Jordi i tu ______ a l'Ajuntament i ______ vacances a l'estiu, oi?
- La Maria ______ cinc dies a la setmana i ______ festa el cap de setmana.

Encercla la paraula definida:

- Persona que té per ofici apagar el foc dels incendis.
  porter/a **bomber/a**
- Persona que té per ofici fer menjars.
  cuiner/a **venedor/a**
- Persona que té per ofici conduir un cotxe, un camió, un autobús...
  enginyer/a **conductor/a**
- Persona que té per ofici servir les begudes i els menjars en un cafè, restaurant, bar...
  fuster/a **cambrer/a**
- Persona que té per ofici cuidar els malalts i col·laborar amb el metge.
  infermer/a **carnisser/a**
- Persona que té per ofici vendre peix.
  pescador/a **peixater/a**
- Persona que té per ofici fer pa o vendre pa.
  pastisser/a **forner/a**
- Persona que té per ofici vendre en una botiga o comerç.
  dependent/a **aprenent/a**
- Persona que té per ofici tallar els cabells, afaitar, etc.
  metge/metgessa **perruquer/a**

L'article indefinit

	masculí	femení
singular	UN professor	UNA professora
singular	UNS professors	UNES professores

4 *Fixa't en el quadre i posa l'article corresponent davant de cada nom:*

un	treballador		venedora		empresàries
	infermeres		porters		dependentes
	pintora		bombers		enginyers
	cambrer		perruquer		secretària

L'article definit

	masculí	femení
singular	EL professor L'estudiant	LA professora L'estudianta
plural	ELS professors ELS estudiants	LES professores LES estudiantes

Els articles **EL** i **LA** **s'apostrofen** davant d'un nom començat amb **vocal** o **H**.

5 *Fixa't en el quadre i posa l'article corresponent davant de cada nom:*

	directores		doctors		aprenentes
	conductora		forneres		peixater
	cuiners		pescador		pastissera
	escriptora		hotelers		ajudant

Completa les sèries:

un infermer	una infermera	uns infermers	unes infermeres
		uns forners	unes forneres
un carnisser			
	una venedora		

Preposició + article definit

	A + EL = **AL** *Al mercat*	A + ELS = **ALS** *Als mercats*
	A + LA = **A LA** *A la ciutat*	A + LES = **A LES** *A les ciutats*
Atenció, però!	*A l'hospital*	*Als hospitals*

*On treballen aquests professionals? Completa les frases amb **al**, **a la**, **a l'**, **als** o **a les** i un d'aquests llocs:*

hospital, botiga, perruqueries, universitats, pastisseria, mercat, empresa de construcció, despatx, restaurants

- El director i la secretària treballen ***al despatx***.
- Els cuiners i els cambrers treballen ______.
- El metge i l'infermer treballen ______.
- Els perruquers i les perruqueres treballen ______.
- El carnisser i el peixater tenen parada ______.
- Els professors i els estudiants van cada dia ______.
- El dependent i la dependenta treballen ______.
- L'arquitecte i l'enginyer treballen ______.
- El pastisser i el seu ajudant treballen ______.

– Hola Joan! Com estàs?
– Bé, i tu? Encara treballes **a la** pastisseria?
– No, noia. Ara treballo **en una** empresa holandesa.
– A Holanda?
– No! Aquí mateix, **a** Tarragona. I el Pere i tu, treballeu **a** l'institut?
– No. Jo ara treballo **en un** restaurant i el Pere és **a** l'atur.

8 *Posa la preposició **a** o **en** a cada frase:*

- Aquell home és secretari *a* l'Ajuntament.
- Visc ______ Mataró però treballo ______ Badalona.
- La Clàudia fa de dependenta ______ una farmàcia.
- Aquestes noies són metgesses i treballen ______ l'hospital.
- El Jordi és mecànic i treballa ______ un taller ______ Mallorca.
- La Mariona treballa ______ la cuina d'un gran restaurant.
- El Miquel estudia música i dansa ______ Barcelona.
- Vivim ______ la Costa Brava i treballem ______ un despatx de Roses.

Els dies de la setmana

dilluns	dimarts	dimecres	dijous	divendres	dissabte	diumenge
1	2	3	4	5	6	7
			AVUI		CAP DE SETMANA	

9 *Respon aquestes preguntes:*

Si **avui** és dijous...

Quin dia era **ahir**? ______

Quin dia serà **demà**? ______

Quin dia serà **demà passat**? ______

Quin dia era **abans-d'ahir**? ______

Quan és el **cap de setmana**? ______

Els mesos de l'any

gener	febrer	març	abril	maig	juny
I	II	III	IV	V	VI
juliol	agost	setembre	octubre	novembre	desembre
VII	VIII	IX	X	XI	XII

10 *Respon aquestes preguntes:*

Quins són els mesos de **primavera**?

Quins són els mesos d'**estiu**?

Quins són els mesos de **tardor**?

Quins són els mesos d'**hivern**?

Quin dia és el teu **aniversari**?

11 *El 25 de desembre és Nadal. Quin dia celebrem aquestes festes?*

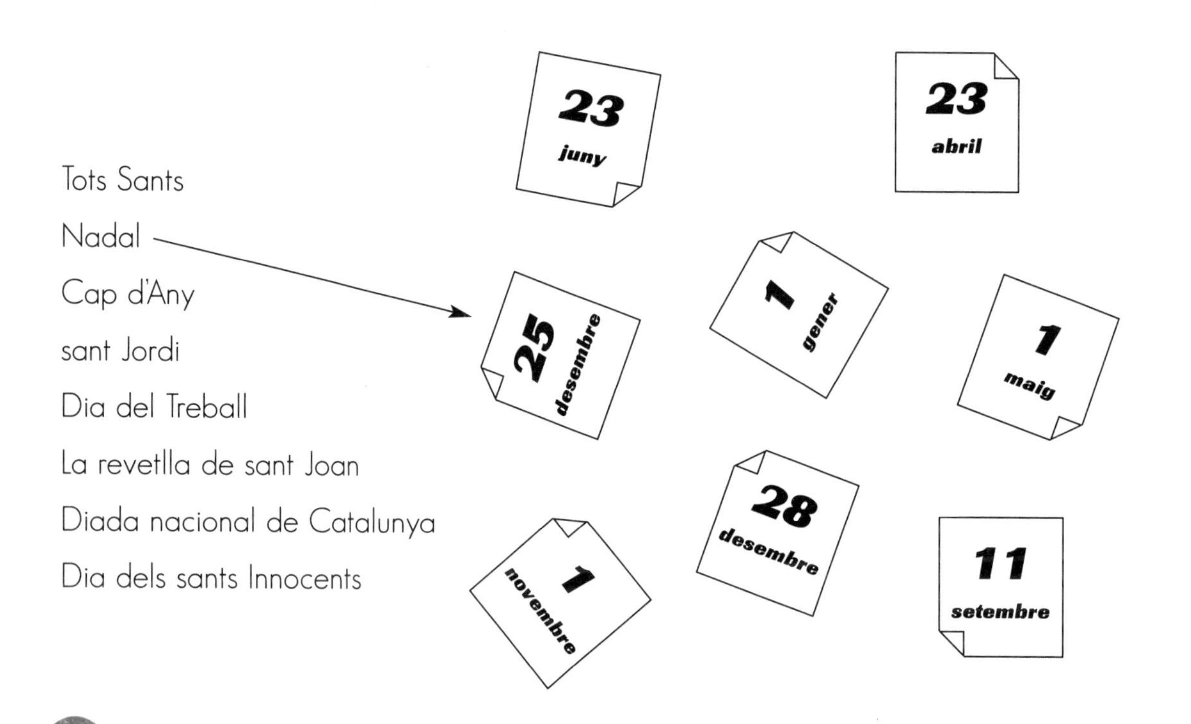

Les hores (I)

Quina hora és?

És la una.

És un quart de dues.

Són dos quarts de dues.

Són tres quarts de dues.

Són les dues.

És mig quart de tres.

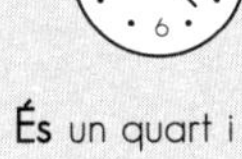

És un quart i mig de tres.

Són dos quarts i mig de tres.

Són tres quarts i mig de tres.

12 *Respon:*

- Quin dia de l'any a Catalunya es regalen llibres i roses?

- Quin dia es mengen castanyes i panellets, uns dolços fets amb ametlles, pinyons i sucre?

- Quin dia es mengen grans de raïm mentre les campanes toquen les 12 de la nit?

- Quan se celebra la festa del dia més llarg de l'any i de la nit més curta?

- Quin dia al País Valencià es cremen les falles, unes construccions amb ninots satírics?

- Quin dia de l'any els mitjans de comunicació poden dir coses que no són veritat?

Escriu quina hora marca cada rellotge:

7:15 **És un quart de vuit**
8:45
3:00
21:30
00:15

5:23
6:08
15:53
11:38
4:00

Escriu amb lletres les hores indicades entre parèntesis:

La Marta treballa en un supermercat. De dilluns a divendres, el seu horari és de (9:30) ______ a (14:00) ______ i de (18:00) ______ a (20:30) ______. A les (11:00) ______ té un quart d'hora per esmorzar. El dissabte fa la jornada seguida i treballa d' (8:15) ______ a (14:45) ______. A les (10:00) ______ té mitja hora per menjar alguna cosa.

3. Activitats quotidianes

UNA JORNADA AMB EL RAFEL

El Rafel cada dia **es lleva** a les set del matí. **Es dutxa** amb aigua freda, **es prepara** l'esmorzar i mentre **esmorza**, sempre **escolta** la ràdio.

Després **renta** els plats i a les vuit **va** cap a la feina. El Rafel és professor de gimnàstica i **treballa** en un gimnàs. Al migdia **dina** en un bar a prop de la feina i havent dinat **torna** a treballar fins a les nou.

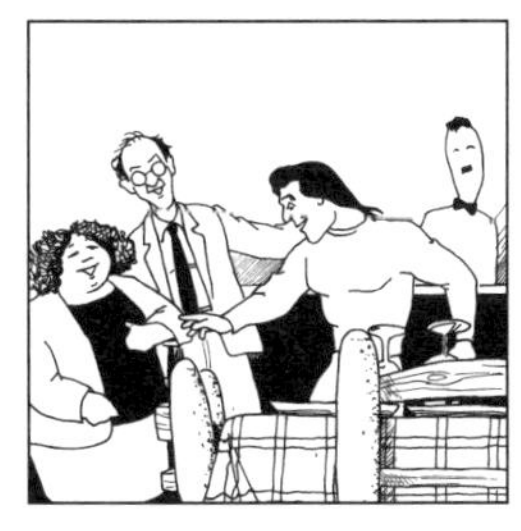

Quan **plega**, **es troba** amb els amics per sopar. Els caps de setmana, després de sopar, **va** al cinema o a ballar. A mitjanit **torna** a casa a peu i **va** a dormir molt cansat.

Llegeix el text i respon aquestes preguntes:

A quina hora es lleva el Rafel? ____
Què fa mentre esmorza? ____
A quina hora va a treballar? ____
De què treballa? ____
On dina normalment? ____
Quan torna a la feina? ____
A quina hora plega? ____
Amb qui sopa? ____
Què fa els caps de setmana, havent sopat? ____
Quan torna a casa? ____
On viu en Rafel? ____

Present d'indicatiu (1a conj.)

ara,
sempre,
mentre,
...

	REGULAR		IRREGULAR
	rentar	**llevar-se**	**anar**
jo	rent**o**	**em** llev**o**	vaig
tu	rent**es**	**et** llev**es**	vas
ell/ella/vostè	rent**a**	**es** llev**a**	va
nosaltres	rent**em**	**ens** llev**em**	anem
vosaltres	rent**eu**	**us** llev**eu**	aneu
ells/elles/vostès	rent**en**	**es** llev**en**	van

Completa les frases amb el pronom adequat:

- Nosaltres ***ens*** trobem sempre a mitjanit.
- Jo sempre ____ llevo d'hora, però la Maria ____ lleva molt tard.
- L'Enric i jo ____ dutxem amb aigua freda, però el Pere i el Marc ____ dutxen amb aigua calenta.
- A quina hora ____ lleves, normalment? ____ llevo a les sis.
- I vosaltres, a quina hora ____ trobeu amb els amics? ____ trobem amb els amics a les vuit.
- Jo ____ dic Clara i els meus germans ____ diuen Carles i Helena.
- Mentre vosaltres ____ prepareu el dinar, jo vaig a comprar pa.

Completa el text amb la forma adequada del verb entre parèntesis:

Nosaltres (trobar-se) **ens trobem** amb el Rafel quan ell (plegar) _____ de la feina. Sempre (sopar) _____ al mateix restaurant i després (anar) _____ a ballar o al cinema. En Rafel (tornar) _____ a casa d'hora però nosaltres (quedar-se) _____ fins més tard perquè (parlar) _____ hores i hores.

Omple els espais buits amb la forma adequada del verb **anar**:

- Nosaltres havent sopat sempre **anem** a caminar.
- Visc a Sabadell, però cada dia _____ a Terrassa.
- Cada estiu, quan fem vacances, _____ uns dies a Puigcerdà.
- I vosaltres, on _____ aquest cap de setmana?
- Quan tenen temps _____ al gimnàs.
- Sempre et lleves a les set? I a quina hora _____ a dormir?
- La Maria _____ a la perruqueria cada dissabte.
- Avui no tinc cotxe i _____ a la feina a peu.
- Escolten la ràdio quan _____ amb cotxe.

Escriu el contrari:

En Rafel després de sopar va al cinema.	En Rafel **abans** de sopar va al cinema.
El Joan i la Maria dinen d'hora.	El Joan i la Maria dinen _____ .
Nosaltres treballem lluny de la feina.	Nosaltres treballem _____ de la feina.
Vosaltres no escolteu mai la ràdio.	Vosaltres escolteu _____ la ràdio.
Rentes els plats amb aigua calenta?	Rentes els plats amb aigua _____ ?
Els dissabtes, abans de sopar, anem al cinema.	Els dissabtes, _____ de sopar, anem al cinema.
Em llevo sempre a la mateixa hora.	_____ no em llevo a la mateixa hora.

6

I tu, què fas cada dia?

Jo em llevo a ______________________________
____
____
____

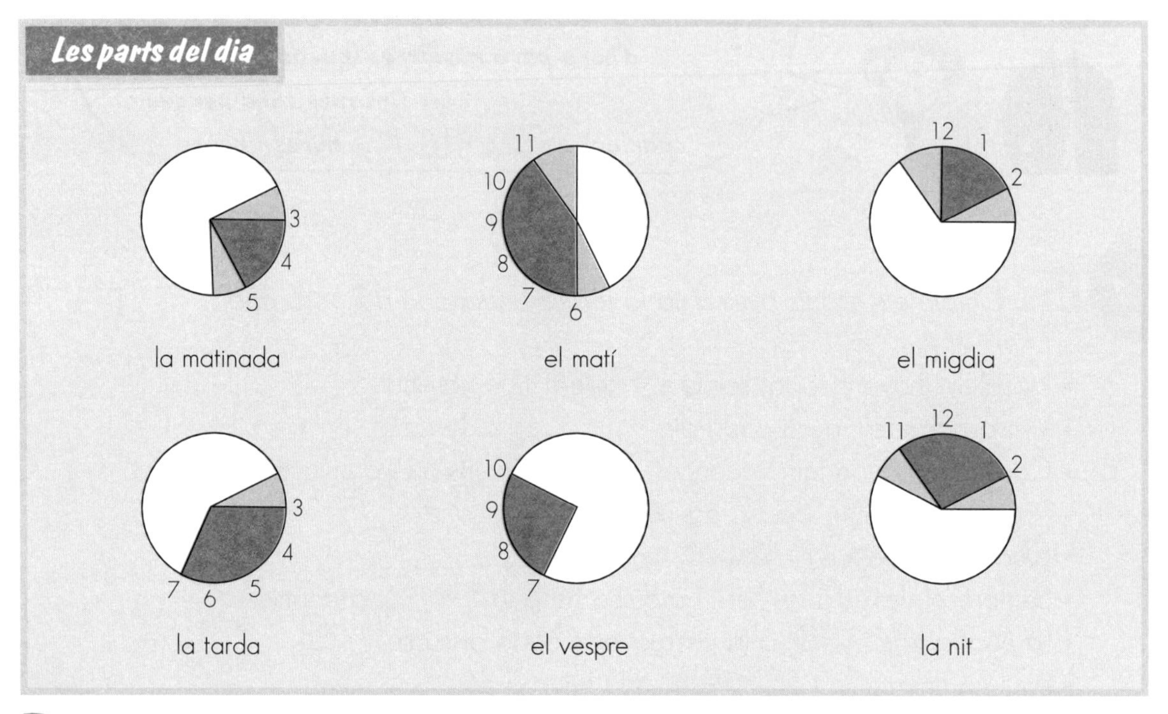

7

Quan acostumes a fer aquestes activitats? Completa les frases amb **al** *o* **a la** *i la part del dia:*

- Esmorzar ***al matí*** .
- Dinar ______________ .
- Fer la migdiada ______________ .
- Berenar ______________ .
- Sopar ______________ .
- Mirar la lluna ______________ .
- Veure sortir el sol ______________ .

preposició + article definit

DE + EL = **DEL**
És del Rafel.

DE + ELS = **DELS**
És dels amics del Rafel.

DE + LA = **DE LA**
És de la Maria.

DE + LES = **DE LES**
És de les amigues de la Maria.

DE + L'= **DE L'**
És de l'Antoni. És de l'Anna.

Completa les frases amb ***del*** *o* ***de la*** *i un temporal:*

- Els nens tornen de l'escola a les 12 ***del migdia*** .
- Els meus amics es lleven a les 8 ________ i van a dormir a les 12 ________ .
- Nosaltres treballem de 8 a 1 ________ i de 3 a 6 ________ .
- La segona sessió de cinema comença a les vuit ________ .
- Treballa de nits i va a dormir a les 5 ________ .

Les hores (II)

Quina hora és?

Són les deu i cinc.

És un quart i cinc d'onze.

Són dos quarts i cinc d'onze.

Són tres quarts i cinc d'onze.

Falten cinc minuts per un quart d'onze. (Les deu i deu)

Falten cinc minuts per dos quarts d'onze. (Dos quarts menys cinc d'onze)

Falten cinc minuts per tres quarts d'onze. (Tres quarts menys cinc d'onze)

Falten cinc minuts per les dotze. (Les dotze menys cinc)

Són les dotze.

Escriu quina hora marca cada rellotge:

2:05	**Són les dues i cinc**
8:40	
9:35	
1:10	
23:20	

4:15	
8:28	
16:50	
11:30	
2:00	

Escriu amb lletres les hores indicades entre parèntesis:

El dissabte sona el despertador a (7:30) ________ i em llevo a (7:35) ________ per dutxar-me. Esmorzo a (8:10) ________ i em vesteixo. Quan (9:40) ________ netejo la gàbia del canari, dono menjar als peixos i surto a passejar el gos fins a (11:55) ________. A (12:00) ________ miro el meu programa preferit a la televisió, que acaba a (1:15) ________. Preparo el dinar i dino a (2:50) ________. Havent dinat, faig la migdiada fins a (4:05) ________ o a (4:20) ________. A (4:45) ________ vaig al cinema, a la sessió que comença a (5:00) ________ o a (5:30) ________.

4. La casa

Posa al dibuix el nom de cada habitació:

la cuina, el menjador, el rebedor, el dormitori, el bany o lavabo, el passadís o corredor, la sala d'estar, el safareig, la terrassa

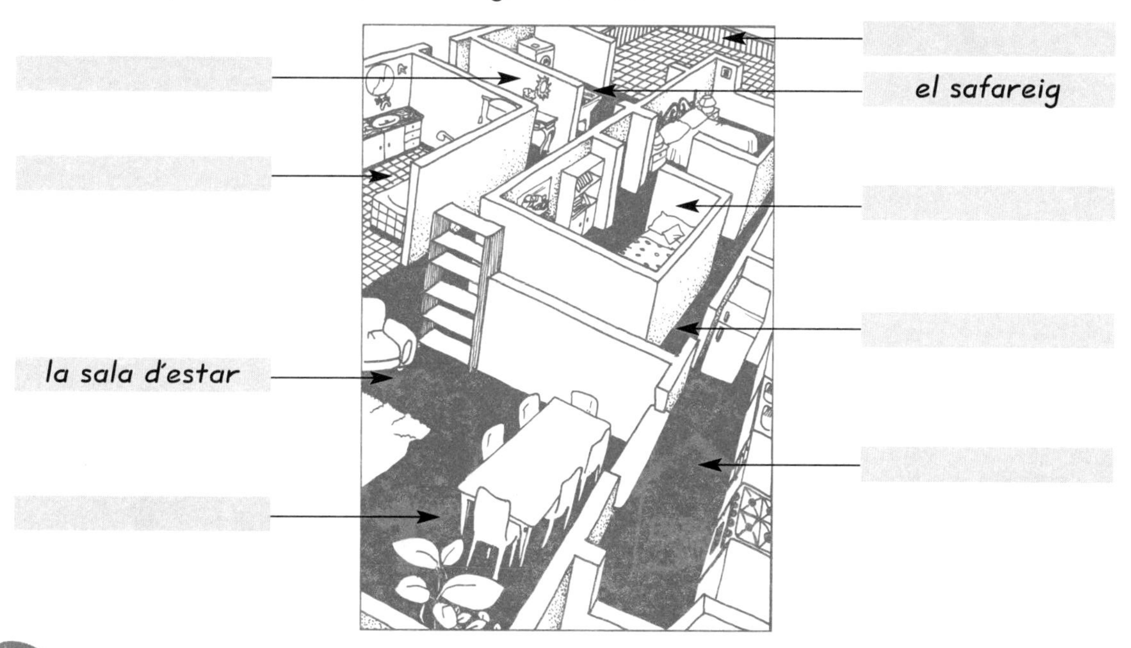

2 *Quina descripció s'ajusta més al dibuix del pis de la Lola Serra?*

A El pis de la Lola és al passeig de Mar, molt **a la vora** del mercat on treballa. Al pis hi ha un rebedor i un passadís molt llarg. **Al costat** del menjador i la sala d'estar hi ha la cuina i un safareig. Té dos dormitoris, un lavabo i una terrassa molt assolellada.

B La Lola viu al passeig de Mar, molt **a la vora** de la feina. El pis és antic però molt assolellat. Té dos dormitoris, un **davant** de l'altre, un bany, un safareig que dóna a una terrassa gran, una cuina, un menjador i una sala d'estar. Al pis hi ha un passadís molt llarg.

C Quan entres al pis de la Lola hi ha el rebedor i un passadís molt llarg. A **l'esquerra** del rebedor hi ha el safareig i la primera porta de **la dreta** dóna al lavabo. La cuina és **al costat** del menjador i de la sala d'estar. Hi ha dos dormitoris que donen a la terrassa.

Situacionals (I)

a la vora / a prop (de)

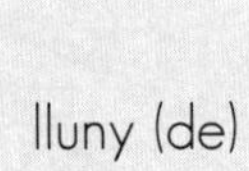

lluny (de)

davant

darrere

entre

a l'esquerra (de)

a la dreta (de)

Recorda la descripció del pis i completa les frases amb un situacional:

- La Lola Serra no viu **lluny** de la feina.
- El Passeig de Mar és ______ del mercat on treballa la Lola.
- La porta de ______ del rebedor dóna al safareig.
- El lavabo és a la primera porta a ______ des del rebedor.
- Un dormitori és ______ de l'altre.
- La cuina és ______ del menjador.
- El safareig és ______ el rebedor i la terrassa.

Llegeix els anuncis i omple els espais buits del text amb la paraula adequada:

ESTUDIANT
Necessita pis de lloguer no gaire gran. Assolellat i ben comunicat.

sol mal però molt fosc

Aquest pis és **molt** gran. No li toca el ______. El trobo ______ i està ______ comunicat.

BUSCO PIS GRAN
Ben situat. Moblat i amb calefacció.

petit cèntric a la vora mal però

Aquest pis és ______. Molt ______ de la zona comercial, ______ el trobo una mica ______ i no té calefacció.

CASA EN VENDA
amb jardí en zona tranquil·la. Sense veïns.
PREU ECONÒMIC.

gran pocs massa però

M'interessa aquesta casa però és molt ______ i resulta ______ cara. Té ______ veïns i és en una zona molt tranquil·la, ______ és lluny de la feina.

Torna a escriure aquestes frases canviant la paraula en negreta per una que vulgui dir el contrari:

- Té un pis **a la vora** de la feina.
  Té un pis lluny de la feina
- Viuen en un pis **petit** i **clar**.
- Es ven pis **gran**, **sense moblar** i **amb** calefacció.
- Comprem un pis **car** però molt **ben** comunicat.
- Es lloga un apartament **amb** terrassa **lluny** del centre.
- Té una casa **vella sense** calefacció.
- Busco una casa **no gaire** gran **sense** veïns.
- El meu amic viu en aquest pis de **l'esquerra**.

Com és casa teva? Descriu-la:

– Aquest és l'apartament i aquí tenen les claus.
– Gràcies, però, perdoni, no s'encén el llum.
– Oh, és clar! Encara no **hi ha** electricitat.
– I tampoc no tenim aigua?
– Oh, és clar! Tampoc **n'hi ha**, d'aigua.
– I de gas, **n'hi ha**?
– No senyora, tampoc **n'hi ha**, però **hi ha** telèfon.
– **Hi ha** telèfon? Ens el quedem!

hi ha, n'hi ha, no n'hi ha

Hi ha **telèfon**? — Sí, hi ha **telèfon**. = Sí, **n'**hi ha.

No hi ha **telèfon**. = No **n'**hi ha.

7 *Encercla la resposta correcta:*

- En aquest pis hi ha ascensor?
  No, no hi ha.
  No, no n'hi ha ascensor.
  (No, no n'hi ha.)

- Què hi ha a la sala d'estar?
  Hi ha una llar de foc.
  Sí, hi ha.
  N'hi ha una llar de foc.
- Què hi ha al final del passadís?
  N'hi ha una terrassa.
  Hi ha una terrassa.
  No n'hi ha.
- Hi ha calefacció?
  No hi ha.
  No, no n'hi ha.
  No n'hi ha calefacció.
- Hi ha banyera?
  Sí que n'hi ha.
  Sí que n'hi ha banyera.
  Sí que hi ha.
- Quants dormitoris hi ha?
  N'hi ha un dormitori.
  Hi ha un.
  Hi ha un dormitori.
- Quantes terrasses hi ha?
  Només hi ha una.
  Només n'hi ha una.
  Només n'hi ha una terrassa.
- Sempre hi ha tant sol, en aquesta habitació?
  De vegades hi ha més.
  De vegades n'hi ha més.
  De vegades n'hi ha més sol.
- On hi ha un telèfon?
  Hi ha un al rebedor.
  N'hi ha un al rebedor.
  N'hi ha un telèfon al rebedor.

8 *Omple els espais buits amb **hi ha** o **n'hi ha** segons convingui:*

- Davant de la porta ***hi ha*** un mirall i darrere ***n'hi ha*** un altre.
- A l'esquerra ______ la cuina i a la dreta ______ el menjador.
- En aquesta casa abans no hi havia ascensor però ara ja ______.
- Al pis no ______ calefacció però ______ una bona llar de foc.
- Aquesta casa té poca llum perquè ______ poques finestres.
- Al matí ______ sol però a la tarda no ______.
- A casa, al migdia no ______ ningú però a la tarda ______ la meva mare.

Els números (II)

100	cent	100.000	cent mil
200	dos-cents / dues-centes	200.000	dos-cents mil / dues-centes mil
300	tres-cents / tres centes	300.000	tres-cents mil / tres-centes mil
400	quatre-cents / quatre-centes		...
	...	1.000.000	un milió
1.000	mil	2.000.000	dos milions
2.000	dos mil / dues mil	3.000.000	tres milions
3.000	tres mil		...
4.000	quatre mil	10.000.000	deu milions
	...	20.000.000	vint milions
10.000	deu mil	25.000.000	vint-i-cinc milions
11.000	onze mil		...
	...		

9 *Escriu amb xifres aquests números:*

sis-cents	______	trenta-quatre mil	______
set-cents vint-i-nou	______	seixanta-mil nou-cents	______
quatre-cents quaranta-vuit	______	cent dotze mil	______
mil cinc-cents	______	tres-cents norants-sis mil quatre-cents	______
mil nou-cents noranta-set	______	un milió quatre-cents mil	______
tres mil dos-cents setze	______	cinc milions vuit-cents mil quaranta	______

Escriu amb lletres aquestes xifres:

900
531
417
1.950
2.004
45.000
78.100
450.000
819.000
3.613.000

Escriu aquestes quantitats:

200 PTA **dues-centes pessetes**
800 PTA
720 PTA
3.500 PTA
22.000 PTA

200 dòlars **dos-cents dòlars**
800 dòlars
720 dòlars
3.500 dòlars
22.000 dòlars

5. La família

1 Llegeix les felicitacions i completa l'arbre genealògic de la família Serra:

NARCÍS I LOLA

Per molts anys en el vostre 25è aniversari de casats.

Amb els millors desitjos de felicitat dels qui us estimen:

els vostres pares Josep i Rosa i la vostra germana Maria.

Moltes felicitats. El vostre fill,

Lluís

Estimada Lola,

Apa noia, vint-i-cinc anys ja! Enhorabona!

Una abraçada ben forta del teu germà Joan, de la teva cunyada Montserrat i dels teus nebots Clara, Anna i Rafel.

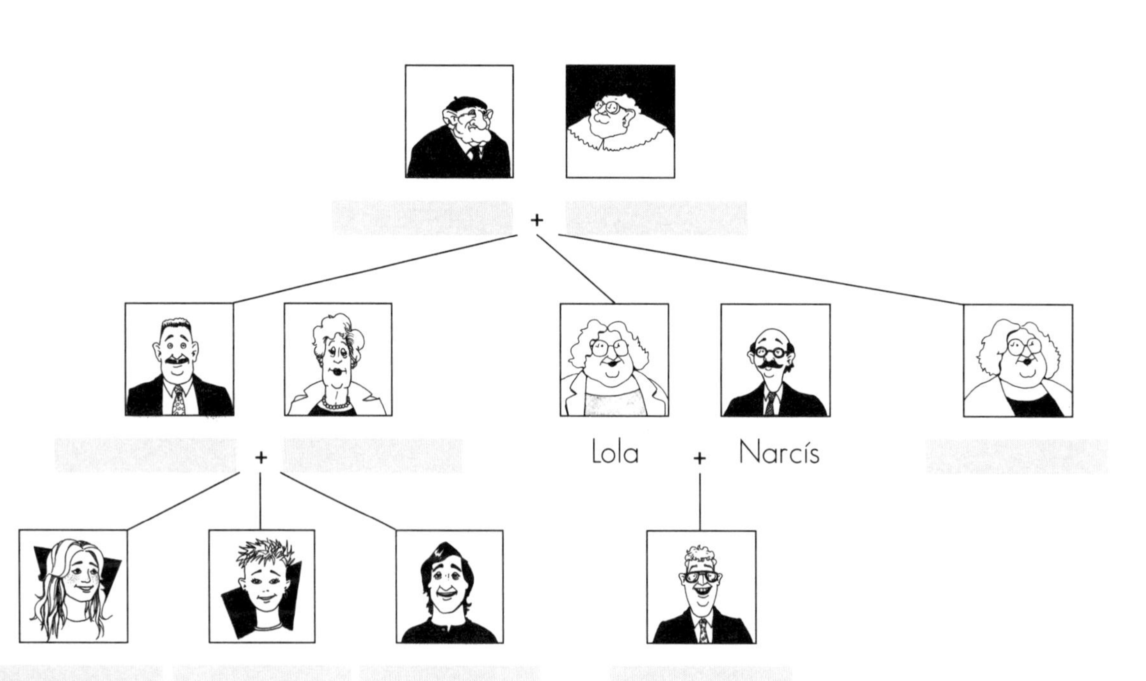

Els possessius

el meu fill	la meva filla	els meus fills	les meves filles
el teu	la teva	els teus	les teves
el seu	la seva	els seus	les seves
el nostre	la nostra	els nostres	les nostres
el vostre	la vostra	els vostres	les vostres
el seu	la seva	els seus	les seves

2 *Llegeix i completa els espais buits amb els possessius adequats:*

Jo em dic Joan. El meu pare es diu Josep i **la meva** mare es diu Rosa. ________ germanes es diuen Lola i Maria. ________ fills es diuen Clara, Anna i Rafel. ________ dona és la Montserrat. El Lluís és ________ nebot.

Vostè és la Rosa? Així ________ marit es diu Josep i ________ fill es diu Joan. I ________ filles són la Lola i la Maria. ________ gendre es diu Narcís i ________ jove Montserrat. I la Clara, l'Anna, el Rafel i el Lluís són ________ néts, oi?

Nosaltres som la Clara i l'Anna. El nostre pare es diu Joan, ________ mare es diu Montserrat, ________ avis es diuen Josep i Rosa, ________ ties es diuen Lola i Maria, ________ oncle es diu Narcís i ________ cosí és en Lluís.

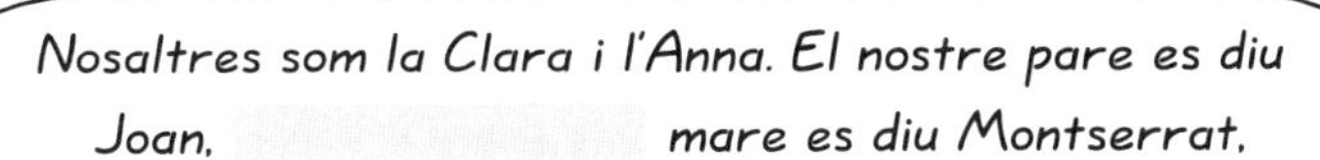

Vosaltres sou la Lola i la Maria? Així ________ mare es diu Rosa, ________ pare es diu Josep, ________ germà Joan i ________ cunyada és la Montserrat, ________ nebots són el Rafel, la Clara i l'Anna, oi?

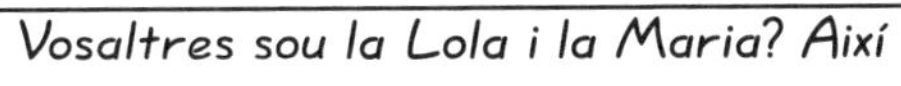

Completa aquestes frases.

- La Rosa diu: La Clara i l'Anna són **les meves nétes** i la Lola és **la meva filla**.
- L'Anna diu: El Josep és ______ i el Rafel és ______.
- El Joan diu: La Rosa és ______ i el Josep és ______.
- El Josep diu: La Rosa és ______ i el Rafel és ______.
- La Lola diu: La Maria és ______ i la Clara i l'Anna són ______.
- La Maria diu: El Rafel i el Lluís són ______ i la Montserrat és ______.
- En Rafel diu: La Rosa és ______ i la Lola és ______.
- El Lluís diu: ______ es diu Joan i ______ es diu Rafel.
- La Montserrat diu: ______ es diu Joan i ______

Completa les sèries:

el fill	la filla		les filles
l'avi	l'àvia		les àvies
		els germans	les germanes
el cosí			les cosines
	la néta	els néts	
el nebot	la neboda		
l'oncle	la tia		

Descriu la teva família.

– Què et passa, Maria?
– **Estic** desesperada!
– Per què?
– **Saps** que el Miquel **està** enamorat d'una altra noia?
– D'una altra noia? De quina noia?
– No **sé** com es diu, però és la filla del marit de la seva mare.
– Què dius? No pot ser!
– Sí, mira: la seva mare és casada amb un vidu que té una filla, i ell **està** enamorat d'aquesta noia que no **sé** com es diu.
– Caram! No pot ser!
– Oi tant que pot ser! Si es volen casar!
– Però si és la meva xicota!

Present d'indicatiu

ara, sempre, mentre, …

	estar	saber
jo	estic	sé
tu	estàs	saps
ell/ella/vostè	està	sap
nosaltres	estem	sabem
vosaltres	esteu	sabeu
ells/elles/vostès	estan	saben

*Omple els espais buits amb la forma del verb **estar** o **saber** corresponent:*

- La Maria ***està*** desesperada perquè el Miquel no l'estima.
- El Roger ______ que el Miquel i la Rosa ______ enamorats.
- El Jordi i l'Anna no ______ si la Maria és soltera o casada.
- Nosaltres no ______ si l'Antoni ______ enfadat.
- No ______ què em passa, ______ trist i cansat.
- Tu ______ si el Joan té germans?
- Jo no ______ per què tu i la Rosa ______ tan contents.
- Els nostres nebots ______ separats i ningú no ______ per què.
- Tu també ______ embarassada? ______ si és nen o és nena?

7 Tria el pronom adequat:

Visc a Ciutat Vella.	jo ☒	tu ☐	ell ☐
Es diuen Garcia Vilà.	ell ☐	vosaltres ☐	ells ☐
Em diuen Pep.	jo ☐	ells ☐	vosaltres ☐
No et van avisar.	tu ☐	nosaltres ☐	ells ☐
Ens té por.	ell ☐	nosaltres ☐	vosaltres ☐
Em dius que sí?	jo ☐	tu ☐	ell ☐
Us saben escoltar.	nosaltres ☐	vosaltres ☐	ells ☐
Ens feu canviar de lloc.	tu ☐	vosaltres ☐	ells ☐

Formació del femení

Per formar el femení s'afegeix:

- -**A** a les paraules acabades en vocal àtona o en consonant.
  - noi ⟶ noia
  - nét ⟶ néta
- -**NA** a les paraules acabades en vocal tònica.
  - germà ⟶ germana
  - cosí ⟶ cosina

Alguns casos diferents:

- Algunes paraules acabades en **vocal + T** fan el femení en -**DA**.
  - nebot ⟶ neboda
  - estimat ⟶ estimada
- Algunes paraules acabades en -**E** canvien la -**E** per **A**.
  - sogre ⟶ sogra

8  Torna a escriure les frases en masculí:

La meva tia és vídua. ***El meu oncle és vidu.***

La meva germana és separada.

La vostra neboda és soltera?

La meva cosina és divorciada.

La seva néta viu a Mataró.

Està contenta la teva dona?

Viu amb la seva filla casada.

Torna a escriure les frases en femení:

El seu cosí és solter.	**La seva cosina és soltera.**
El meu fill està avorrit de la feina.	
El teu cunyat està enfadat amb tu.	
És un nen molt trist.	
Aquest noi és el nostre germà.	
El nostre nebot petit viu a Rubí.	
Aquell home és el vostre avi, oi?	

Llegeix el text i respon:

Hola, què tal? No em coneixeu i per això em presento. Em dic Enric Castells i Galí, tinc 32 anys i sóc dentista. Treballo en un consultori mèdic. No tinc cap germà. Us explico tot això perquè el mes que ve em caso i estic molt content. Ens casem el 15 d'abril, divendres. La meva futura dona es diu Carme Pons i Verdaguer. Té 31 anys i és la secretària de l'ajuntament de Caldes. Fa cinc anys que sortim i ara finalment ens casem.

- Quan està escrita aquesta nota?
  El mes de
- De què fa l'Enric?
  És
- L'Enric és fill únic. Què vol dir?
  Que no té
- On treballa la promesa de l'Enric?
  Treballa
- Si aquesta parella té fills, com es diran, de cognoms?
- Com es diu la mare de la Carme, de primer cognom?

Test 1

A

Tria la resposta correcta:

1. Com et dius?
   a. Em dic Narcís.
   b. Me dic Narcís.
   c. Em diu Narcís.

2. D'on ets?
   a. Sóc a Girona.
   b. Ets a Girona.
   c. Sóc de Girona

3. Qui és?
   a. És el Joan.
   b. És Joan.
   c. Ets el Joan.

4. On vius?
   a. Visc a l'avinguda Jaume I.
   b. Visc en l'avinguda Jaume I.
   c. Viu a l'avinguda Jaume I.

5. Si avui és dimecres demà serà...
   a. dimarts.
   b. dijous.
   c. dilluns.

6. La festa del treball la celebrem el dia 1...
   a. de març.
   b. de maig.
   c. de juny.

7. Què fas avui?
   a. Va a treballar.
   b. Vaig a treballar.
   c. Van a treballar.

8. Quina hora és?
   a. Són dos quarts i cinc d'onze.
   b. Són les dos quarts i cinc d'onze.
   c. És la mitja i cinc minuts d'onze.

9. A quina hora esmorzes?
   a. Esmorzes a les nou.
   b. Esmorza a les nou.
   c. Esmorzo a les nou.

10. Que hi ha aire condicionat, aquí?
    a. Sí que hi ha.
    b. Sí que hi ha calefacció.
    c. Sí que n'hi ha.

Tria la paraula adequada per a l'espai buit:

1. Vostè ________ telèfon?
   a. té
   b. tens
   c. tinc

2. A quina hora ________ lleves?
   a. us
   b. et
   c. es

3. La filla de la meva germana és la meva ________.
   a. cosina
   b. jove
   c. neboda

4. Cada dia dino a ________.
   a. les dues i quart
   b. un quart de dos
   c. un quart de dues

5. El pare del meu pare és ________ avi.
   a. meu
   b. seu
   c. el meu

6. De què fas? Ara ________ de venedor.
   a. fa
   b. fas
   c. faig

7. Aquest noi viu al carrer del Pi número ________.
   a. dos-cents
   b. cents dos
   c. dues-centes

8. Viuen en un pis ________, molt a la vora d'aquí.
   a. nous
   b. nou
   c. nova

9. A casa teva hi ha ascensor, però a casa meva no ________.
   a. hi ha
   b. n'hi ha
   c. hi han

10. A la dreta ________ la cuina i el bany.
    a. està
    b. hi ha
    c. n'hi ha

6. On són les claus?

Avui el Rafel es lleva molt tard. Es vesteix corrents i quan és a punt de sortir s'adona que les claus no són al pany com de costum. Nerviós, les busca **pertot arreu**: **sobre** la taula, als prestatges, **entre** els coixins, **dintre** els calaixos i a l'armari, **darrere** l'ordinador, **al costat** del televisor, **sota** els diaris, **dins** la bossa... No les troba **enlloc**. "On són les claus de casa?" Molt desesperat, ja no sap què fer. Truquen a la porta: és el carter. El Rafel quan obre s'adona que les claus són al pany de **fora**. De tan content, fa un petó al carter.

Observa el dibuix i escriu els noms que falten a cada espai.

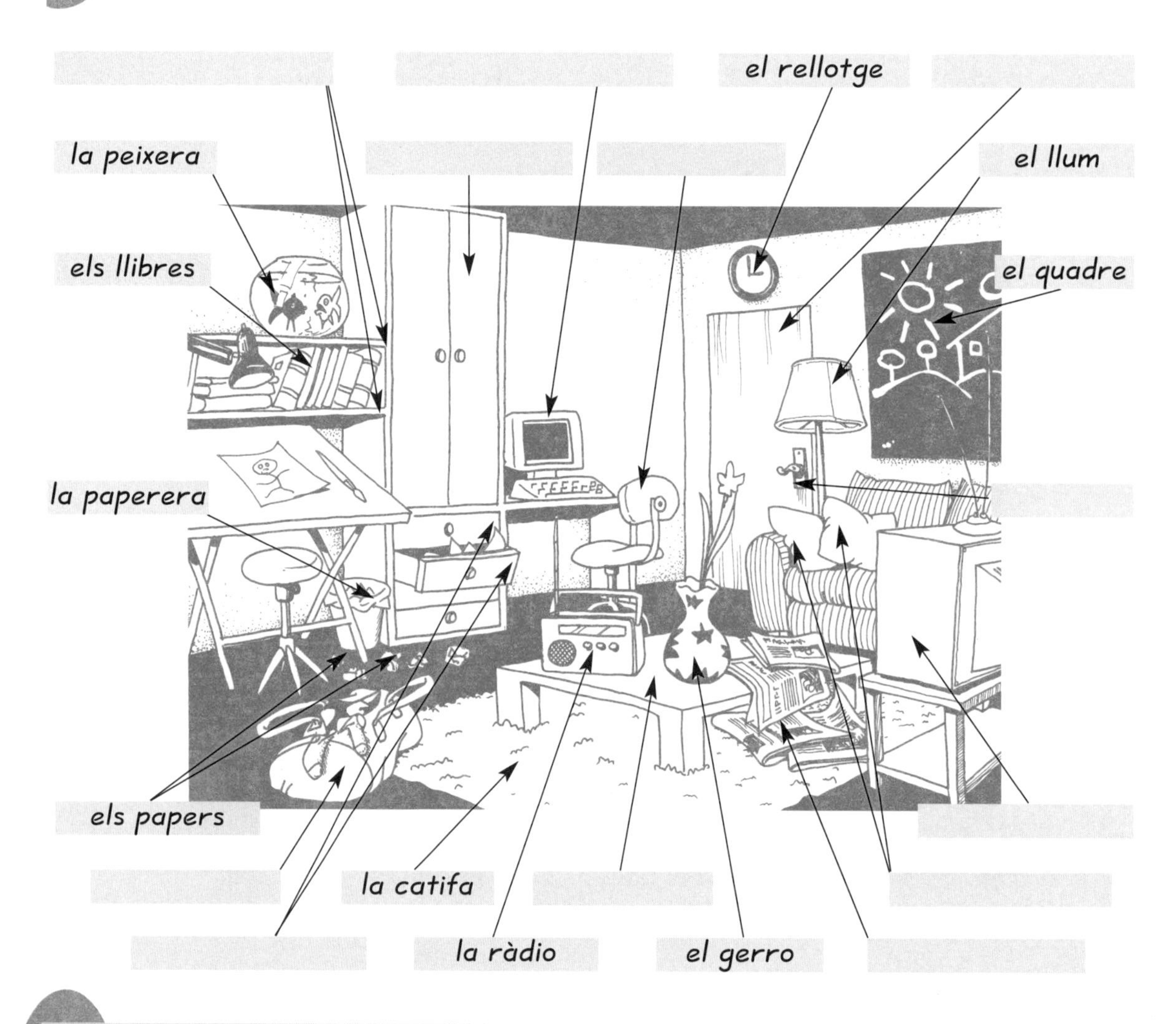

Situacionals (II)

sobre, damunt

dintre, dins

darrere

sota

fora

davant

pertot arreu

enlloc

2 *Observa el dibuix de l'exercici 1 i respon les preguntes següents:*

- On és el gerro? **El gerro és sobre la taula.**
- On és la paperera? ______
- On és la peixera? ______
- On és el llum? ______
- On és la cadira? ______
- On és el rellotge? ______
- On són els diaris? ______
- On són els llibres? ______
- On són els peixos? ______

3 *Completa les frases canviant la paraula en negreta per una que vulgui dir el contrari:*

- El gerro és **sobre** la taula. El gerro és **sota** la taula.
- . En Rafel busca les claus **pertot arreu** però no les troba ______ .
- Les claus no són ni **davant** ni ______ l'ordinador.
- L'ordinador és **damunt** la taula però la paperera és ______ .
- El Rafel deixa les claus al pany de **dins**, però avui eren al pany de ______ .
- Al prestatge de **sota** hi ha llibres i al de ______ hi ha la peixera.
- Hi ha papers **dintre** la paperera, però també n'hi ha ______ .

4 *Completa el text:*

– Ho sento, Marta. Ja sé que arribo tard. Però resulta que no trobava les claus ______ . He mirat ______ : ______ els calaixos, ______ l'ordinador, ______ els diaris i ______ els coixins. I saps on eren? Doncs, ______ la peixera. Un peix se les volia menjar!

– Sí, home! No tens una excusa millor?

5 *I tu, on deixes les claus?*

– **On és** el comandament?
– Potser és sota el diari?
– No, no **hi és**.
– I damunt la taula?
– Tampoc **hi és**.
– Al prestatge, potser?
– Noooooo! Si el tens tu, a la teva falda!
– Jo? És veritat!
– I tant! Sempre hem de veure el programa que tu vols!

– Saps **on són** els llumins?
– Dins el calaix.
– No, no **hi són**.
– Doncs, darrere els pots?
– No, tampoc **hi són**.
– Ah! Són dins del primer pot.
– Sí, si que **hi són**! Però la capsa és buida!

Pronom HI (complement circumstancial de lloc)

La clau és **sota el diari**? | No, no és **sota el diari**. = No, no **hi** és.

Els llumins són **dins el calaix**? | Sí, són **dins el calaix**. = Sí, **hi** són.

6 *Observa el dibuix i completa els diàlegs:*

– El rellotge és a terra?
– No,
– És al costat del llum?
–
– És sobre la porta?
–

– Els papers són damunt la taula?
–
– Són sobre la cadira?
–
– Són dins el calaix?
–

7 *Escriu el singular d'aquestes paraules:*

uns llums nous	***un llum nou***
uns quadres moderns	
uns diaris vells	
uns ordinadors antics	
uns petons delicats	
els llumins grossos	
les papereres plenes	
les taules netes	
les portes obertes	
els peixos vermells	

La formació del plural

Per formar el plural s'afegeix:

- **S** a les paraules acabades en vocal àtona o consonant que no sigui Ç, S o X.
  - clau ⟶ claus
  - llum ⟶ llums
- **NS** a les paraules acabades en vocal tònica.
  - petó ⟶ petons
  - pa ⟶ pans
- **OS** a les paraules acabades en Ç, S o X.
  - pis ⟶ pisos
  - braç ⟶ braços
  - peix ⟶ peixos
- Canvien la **A** per **ES** les paraules acabades en A àtona.
  - porta ⟶ portes

8 *Escriu en plural les paraules en negreta de les frases que tens a continuació:*

- **El llum petit** és sobre **la tauleta** de nit.

  Els llums petits són sobre ***les tauletes*** de nit.
- No trobo **el diari** d'avui. No **és** dins **el calaix**?

  No trobo ______ d'avui. No ______ dins ______.
- Té **un mirall antic** i **un quadre modern** penjats a la paret.

  Té ______ i ______ penjats a la paret.
- **L'ordinador nou** és dins de l'**armari**.

  ______ són dins dels ______.
- És **una cadira moderna**, però poc **còmoda**.

  Són ______, però poc ______.
- **Aquest coixí** és **vell** i **brut**.

  ______ són ______ i ______.
- Té el costum de posar **la clau** sota **el rellotge**.

  Té el costum de posar ______ sota ______.
- **Aquest gerro** d'aquí **és ple** d'aigua.

  ______ d'aquí ______ d'aigua.
- **És un prestatge** molt **prim** per **un llibre** tan **gruixut**.

  ______ molt ______ per ______ tan ______.

9 *Escriu l'adjectiu que indiqui el contrari:*

un rellotge gros  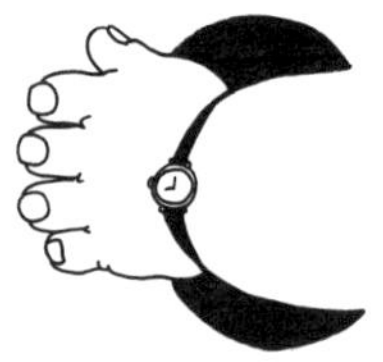 un rellotge ______

un llum nou  un llum ______

un coixí net  un coixí ______

un quadre modern  un quadre ______

un llibre gruixut   un llibre ______

un armari tancat  un armari ______

un calaix buit 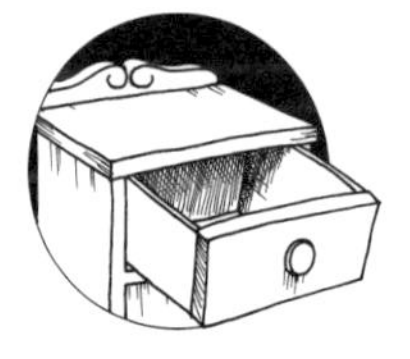  un calaix ______

7. Els amics del Rafel

Qui és qui? Llegeix les frases i escriu el nom de cada personatge sota del dibuix corresponent:

El **Jordi** és alt, prim, té pocs cabells i porta ulleres.
El **Rafel** és moreno, fa un metre vuitanta i té vint-i-vuit anys.
La **Carme** és baixa, més aviat grassa i té els cabells arrissats.
La **Mercè** és alta, prima i té els cabells llargs.
El **Miquel** té vint-i-set anys, és ros i molt atractiu.
La **Júlia** és la més jove; té els cabells llisos, curts i porta serrell.

Escriu el contrari:

una dona jove	una dona **gran**
una dona prima	una dona
una noia alta	una noia
un home gran	un home
un noi més aviat lleig	un noi més aviat
els cabells llisos	els cabells
els cabells curts i foscos	els cabells ___ i clars
té molts cabells	té ___ cabells
sembla molt baix	sembla molt

Completa les frases amb les paraules que tens a continuació:

moreno, gran, baix, grans, prims, baixes, morena, primes

- És un home ***gran*** , ***prim*** , _____ i _____ .
- És una dona _____ , ***prima*** , ***baixa*** i _____ .
- Són uns homes _____ , _____ , ***baixos*** i ***morenos*** .
- Són unes dones ***grans*** , _____ , _____ i ***morenes*** .

gras, jove, rossa, joves, alt, alts, joves, altes, grassa, ros, grassos, rosses

- Aquest noi és ***jove*** , _____ , _____ i més aviat _____ .
- Aquesta noia és _____ , ***alta*** , _____ i més aviat _____ .
- Aquests nois són _____ , _____ , ***rossos*** i més aviat _____ .
- Aquestes noies són _____ , _____ , _____ i més aviat ***grasses*** .

Omple els espais buits:

Jo _____ la Clara. Tinc vint-i-nou _____ i treballo en un supermercat. Sóc més _____ alta, faig un _____ setanta. No estic ni grassa ni prima. Sóc _____ i porto els cabells _____ . Ah! Tinc la cara molt pigada.

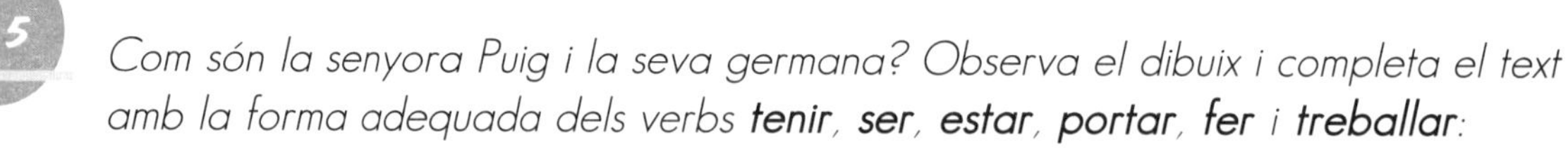

Com són la senyora Puig i la seva germana? Observa el dibuix i completa el text amb la forma adequada dels verbs **tenir**, **ser**, **estar**, **portar**, **fer** *i* **treballar**:

La senyora Puig _____ una germana bessona que es diu Maria. _____ cinquanta-quatre anys. _____ unes dones rosses i _____ molt grasses. Són més aviat altes, _____ un metre seixanta-set. Totes dues _____ ulleres. La Lola i la Maria fa molts anys que _____ al mercat central de Vilanova.

6 *I tu, com ets?*

– **Coneixes** aquella noia del vestit blau?
– La dels cabells llargs?
– No, la dels cabells curts.
– No, no la **conec**.
– Sembla simpàtica.
– Sí que ho sembla.

– Sabeu qui són aquells nois del vestit fosc?
– No, no ho sabem. Tu els **coneixes**?
– Els **conec** de vista, però no sé com es diuen.
– Semblen antipàtics.
– Si tu ho dius...

7 *Observa els dibuixos de l'exercici 1 (pàg. 53) i omple els espais buits amb el nom de cada personatge:*

- porta un vestit jaqueta amb butxaques i sabates fosques.
- porta unes faldilles llargues i una jaqueta de llana. Les mitges són fosques i les sabates clares.
- porta una samarreta curta, una jaqueta texana i unes esportives sense mitjons.
- porta una americana fosca i uns pantalons clars. També porta una corbata molt elegant.
- porta un vestit clar, una camisa de ratlles, un cinturó i unes sabates de pell.

Present d'indicatiu

ara,
sempre,
mentre,
...

	conèixer
jo	conec
tu	coneixes
ell/ella/vostè	coneix
nosaltres	coneixem
vosaltres	coneixeu
ells/elles/vostès	coneixen

Omple els espais buits amb la forma adequada del verb conèixer:

- Té prop de vuitanta anys i **coneix** tothom.
- Esteu segurs que no ______ aquestes noies?
- Diuen que no ______ els amics del Rafel.
- Aquella noia es diu Júlia i jo la ______ de fa molts anys.
- La Neus ______ les germanes del Rafel perquè es troben a la perruqueria.
- ______ la Maria? Tens el seu número de telèfon?
- La Clara i jo ______ uns nois molt antipàtics que viuen a la vora d'aquí.

Qui és? Llegeix el diàleg i indica a qui es refereixen:

– És alt?
– Sí que **ho és**.
– És prim?
– Sí que **ho és**.
– Està seriós?
– No, no **ho està**.

– És prima?
– Sí que **ho és**.
– És més aviat alta?
– No, no **ho és**.
– Sembla simpàtica?
– Sí que **ho sembla**.

Pronom HO (atribut)

SER ⟶	És **prim**?	Sí que **ho** és. No **ho** és.
ESTAR ⟶	Està **content**?	Sí que **ho** està. No **ho** està.
SEMBLAR ⟶	Sembla **simpàtic**?	Sí que **ho** sembla No **ho** sembla.

Torna a escriure aquestes frases canviant la paraula repetida per un pronom:

- L'avi i el pare són alts i el fill i el nét també són alts.

  L'avi i el pare són alts i el fill i el nét també ho són.
- La Mercè és alta i la Júlia també és alta.
- La Carme és grassa però la Júlia no és grassa.
- El Francesc és dependent i el seu fill també és dependent.
- El Miquel i la Mercè semblen germans però no són germans.
- El meu germà ara és ros però abans no era ros.
- La Carme està contenta i el seu amic també està content.
- En Rafel va cada dia al gimnàs però el Francesc no va mai al gimnàs.
- La Mercè viu a Vilanova i la Júlia ara també viu a Vilanova.

8. El cap de setmana

EL CAP DE SETMANA DELS SENYORS PUIG

El cap de setmana passat el senyor i la senyora Puig **van anar** al Pirineu. **Van marxar** de Vilanova divendres a la tarda i no hi **van tornar** fins diumenge a la nit.

Dissabte **es van llevar** d'hora i **van esmorzar**. Després **van sortir** cap a les pistes d'esquí. La senyora Puig **va esquiar** tot el matí i el senyor Puig **va passejar** i **va prendre** el sol en una terrassa.

Al migdia **van menjar** un entrepà a les pistes i a mitja tarda **van tornar** a l'hotel. Es **van dutxar** i **van sortir** a comprar productes típics: botifarres, llonganisses, formatges, etc. **Van sopar** en un restaurant. Un sopar romàntic, amb espelmes i cava; havent sopat **van assistir** a un concert de música popular.

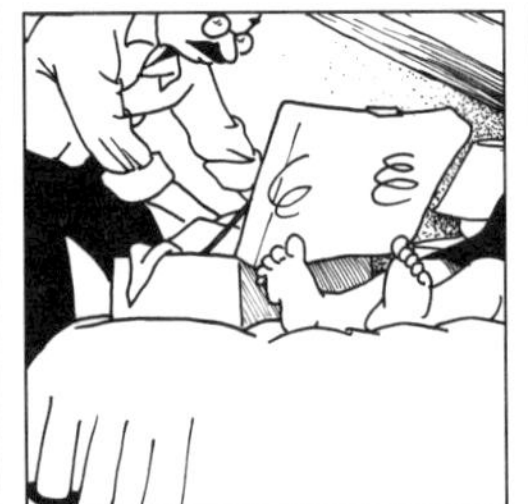

Diumenge la senyora Puig **va tornar** a les pistes, però el senyor Puig **va preferir** anar a ballar sardanes i també **va visitar** una exposició de fotografia.

Quan la senyora Puig **va tornar**, **van dinar**, **van descansar** una estona i a quarts de sis de la tarda **van carregar** el cotxe i **van marxar**. **Van arribar** a casa seva molt cansats, però satisfets.

Llegeix el text i respon aquestes preguntes:

On van anar els senyors Puig el cap de setmana?
Quan van marxar de Vilanova?
Què van fer dissabte al matí?
Què van menjar per dinar?
Què van fer quan van arribar a l'hotel?
Què van comprar dissabte a la tarda?
Què van fer havent sopat?
On va anar, diumenge al matí, el senyor Puig?
I la senyora Puig?
Què van fer havent dinat?
A quina hora van marxar?
Com van arribar?

Pretèrit perfet perifràstic

ahir,
l'any passat,
la setmana passada,
fa quinze dies,
fa un any,
...

	sortir auxiliar + infinitiu
jo	**vaig** sortir
tu	**vas** sortir
ell/ella/vostè	**va** sortir
nosaltres	**vam** sortir
vosaltres	**vau** sortir
ells/elles/vostès	**van** sortir

Atenció! No confongueu l'auxiliar d'aquest temps amb el **present d'indicatiu** del verb **anar** (*vaig, vas, va,* anem, aneu, *van*) ni amb el grup **anar + a + infinitiu** (*vaig **a** comprar*).

*Vaig **a** Estambul* ⟶ *present*
*Vaig **a** fer la maleta* ⟶ *present*

Vaig fer la maleta ⟶ pretèrit

2 *Omple els espais buits amb la forma adequada del verb entre parèntesis:*

- Ahir, l'Ignasi i tu (sopar) **vau sopar** al restaurant.
- El cap de setmana passat l'Ignasi i la Montserrat (anar) ________ al Pirineu.
- L'hivern passat, els nens (dinar) ________ sempre a casa.
- El Josep (carregar) ________ i (descarregar) ________ el cotxe tot sol.
- Diumenge passat, jo (assistir) ________ a un concert de música popular.
- I tu, abans d'ahir, a quina hora (marxar) ________ cap a casa?
- Fa quinze dies, l'Eduard (sortir) ________ de casa molt d'hora.
- Ahir, el meu germà no (llevar-se) ________ fins tard.
- I vosaltres, (dutxar-se) ________ quan (acabar) ________ el partit?

3 *Completa l'explicació de la senyora Puig:*

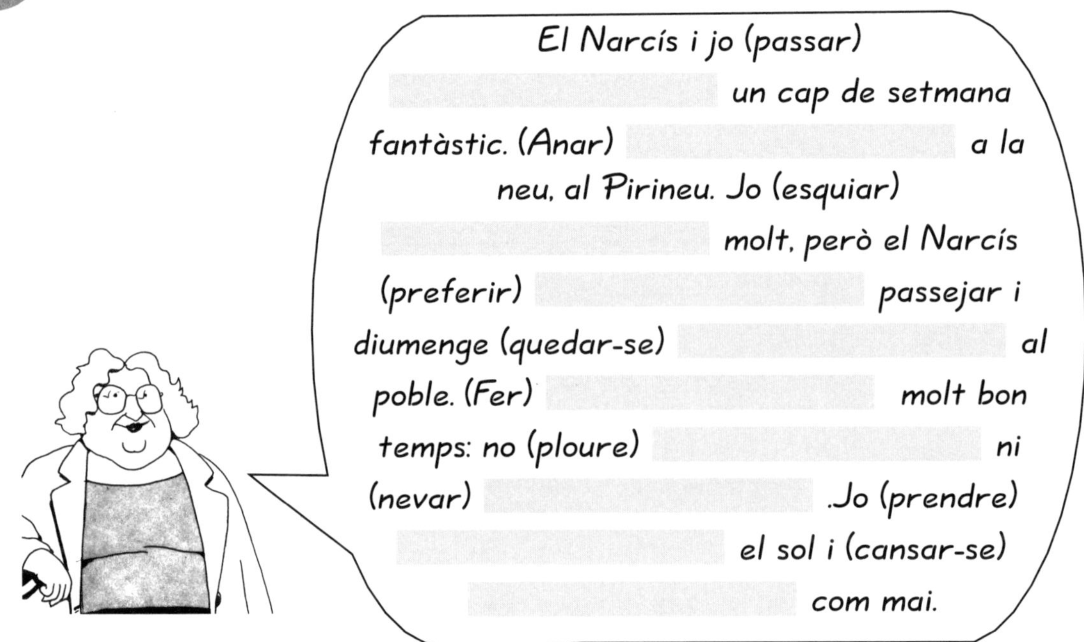

Escriu ***ara*** *o* ***ahir*** *al costat de cada frase segons si el verb està en present d'indicatiu o en pretèrit perfet:*

Vaig dinar al restaurant.	***ahir***
Vaig a dinar al restaurant.	***ara***
La senyora Puig va comprar una coca i botifarres.	
La senyora Puig va a comprar una coca i botifarres.	
Vaig a tornar les claus al porter.	
Vaig tornar les claus al porter.	
Vas esquiar a la Vall d'Aran?	
Vas a esquiar a la Vall d'Aran?	
El senyor Puig va descansar una estona.	
El senyor Puig va a descansar una estona.	
Tu també vas veure el partit?	
Tu també vas a veure el partit?	
La Lola i el Narcís van a visitar una exposició.	
La Lola i el Narcís van visitar una exposició.	
Vaig prendre el sol a la platja.	
Vaig a prendre el sol a la platja.	
Els teus amics van a passejar pel parc.	
Els teus amics van passejar pel parc.	

Escriu a cada frase el verb ***anar*** *en el temps i la persona adequats:*

- Avui nosaltres ***anem*** al cinema.
- Ahir, el Josep i el Martí ______ al delta de l'Ebre.
- Tu ______ a ballar ara?
- Dilluns passat jo ______ a la piscina.
- La setmana passada el Pons i jo ______ a França.
- Avui tu i el Pere Pons ______ a pescar, oi?
- L'estiu passat vosaltres ______ a la platja.
- Fa quinze dies que tu ______ al metge.
- En aquest moment la Mar i en Marc ______ a la pastisseria.

I tu, què vas fer el cap de setmana passat?

Torna a escriure el text següent utilitzant el pretèrit perfet perifràstic:

L'Ester Costa neix a Reus l'any 1950. Comença a estudiar solfeig i piano amb una amiga de la família. Als quinze anys va a viure a Banyoles, perquè l'empresa on treballa el seu pare es trasllada. Coneix l'Àlex a l'institut i creen el grup *Espina llarga*. Durant molts anys actuen a les festes majors de pobles i barris. Es casen el 1975 i tenen dues nenes. El 1980 surt al mercat el seu primer disc, *Mans petites*; després d'aquest gran èxit comença la seva carrera internacional.

L'Ester Costa va néixer a Reus l'any 1950.

Pronoms davant i darrera del verb

	davant	darrere
jo	**em** vaig llevar	vaig llevar-**me**
tu	**et** vas llevar	vas llevar-**te**
ell/ella/vostè	**es** va llevar	va llevar-**se**
nosaltres	**ens** vam llevar	vam llevar-**nos**
vosaltres	**us** vau llevar	vau llevar-**vos**
ells/elles/vostès	**es** van llevar	van llevar-**se**

Aquest temps verbal admet el pronom davant o darrere del verb, indistintament.

8 *Canvia el pronom de lloc:*

Va obrir-se la porta.	**Es**	va obrir la porta.
Vaig llevar-me tard.		vaig llevar tard.
Vam comprar-nos l'ordinador.		vam comprar l'ordinador.
Van trobar-se d'hora.		van trobar d'hora.
Vas posar-te les sabates noves?		vas posar les sabates noves?
Vau rentar-vos les mans.		vau rentar les mans.
Va afanyar-se molt.		va afanyar molt.

9 *Torna a escriure les frases que tens a continuació canviant el pronom de lloc:*

- La família Costa es va traslladar a Banyoles.

  La família Costa va traslladar-se a Banyoles.
- L'Ester i l'Àlex es van dedicar a la música.
- Nosaltres ens vam trobar a Reus.
- No em vas dir res.
- Us vau casar fa quinze dies, oi?
- Et vas escoltar el meu disc?
- Vau divertir-vos a la festa?
- A la tarda van acompanyar-nos fins a casa.
- Dilluns vaig examinar-me de piano.

9. Conversa telefònica

Riiiiing...

– **Digui**?
– Hola! **Que hi ha** la Marta?
– **No, ara no hi és. De part de qui?**
– Sóc el Rafel.

Riiiiing...

– Digui?
– Bon dia! Que hi ha el Rafel?
– No, **s'equivoca**.
– **Perdoni**. Bon dia.

Riiiiing...

– Digui?
– Bona nit! **Que hi és**, la Marta?
– Sí, **un moment, sisplau**.
– **Gràcies**.

1 *Omple els espais buits d'aquests diàlegs:*

Riiiiing...

– Digui?
– Hola. Bona tarda! ______________ el Joan?
– No, ______________. De part de qui?
– De la Mercè. Ja tornaré a trucar.

Riiiiing...

– Digui?
– ______________ la Montse?
– No, ______________.
– Ah! Perdoni.

Riiiiing...

– Digui?
– Ets tu, Joan?
– No, el Joan ______________. Jo sóc el seu germà.
– Hola! Sóc la Montse.

Ser-hi, haver-hi

Per preguntar	– Que hi ha en Rafel? – Que hi és, en Rafel?	HAVER-HI SER-HI
Per respondre	– No hi és. – Sí que hi és.	SER-HI

2 *Qui parla amb qui? Relaciona els globus de l'esquerra amb els de la dreta:*

– Que hi ha la Carla?
– ...
– Perdoni. Que no és el 543 43 21?
– ...

– ...
– Podria dir-me el número de telèfon de la policia?
– ...
– Moltes gràcies.

– Informació municipal. Digui'm?
– ...
– Sí, és el 55 55 55.
– ...

– ...
– Ets la Carla?
– ...
– Carla, em sents? Aquest telèfon està avariat.

– Que hi és el senyor Puig?
– ...
– Senyor Puig, sóc la Carla.
– ...

– ...
– No, aquí no hi ha cap Carla.
– ...
– No, aquí és el 543 44 21.

– Digui?
– ...
– Digui? Escolti?
– ...

– ...
– Sí, jo mateix.
– ...
– Ah! Hola, Carla!

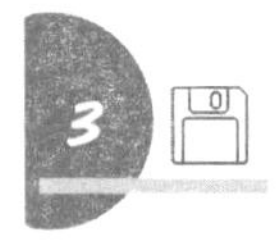

On et sembla que truquen a cada conversa? Marca amb una creu el servei corresponent:

URGÈNCIES

- [ ] Policia
- [ ] Bombers
- [ ] Ambulàncies
- [ ] Creu Roja
- [ ] Ajuda carretera

– Amb qui parlo?
– Sóc en Roger Sanahuja.
– I on diu que és?
– Al quilòmetre 4, entre la gasolinera i el peatge.
– Què li passa?
– El cotxe no funciona.
– Doncs ara venim.

AVARIES

- [ ] Aigua
- [ ] Gas
- [ ] Electricitat
- [ ] Telèfon

– Em pot dir per què no tenim corrent?
– La seva adreça, sisplau.
– Carrer Esperança, número 17, primer.
– Miri, té el servei tallat perquè no paga.
– Què diu ara?
– Sí senyor, l'últim rebut abonat és de gener!

TRANSPORTS

- [ ] Autobusos
- [ ] RENFE
- [ ] Taxis
- [ ] Aeroport
- [ ] Lloguer de cotxes

– Quant val per dia?
– Unes 7.000 pessetes, si torna el dipòsit ple.
– D'acord.
– Quan vol marxar?
– Demà passat, dijous.
– Quants dies?
– Tres, de dijous al matí a dissabte al vespre.

Interrogatius (I)

(quina cosa) **QUÈ**	*Què vols?*	(quina quantitat)	
(quina persona) **QUI**	*Qui és?*	**QUANT**	*Quant sucre vols?*
(quin temps) **QUAN**	*Quan tornes?*		*Quant val?*
(quin lloc) **ON**	*On ets?*	**QUANTA**	*Quanta sal vols?*
(de quina manera) **COM**	*Com són?*	**QUANTS**	*Quants litres vols?*
(per quina raó) **PER QUÈ**	*Per què plores?*	**QUANTES**	*Quantes ampolles vols?*

Tria la resposta adequada a cada pregunta:

- Com et dius? — Dic que sí. / (Em dic Teresa.)

• Què va menjar?	Va menjar al matí. Va menjar pa.	• On dorm?	Dorm molt poc. Dorm a l'habitació.
• Qui és aquella?	És la meva cunyada. És infermera.	• Què diu?	Diu que sí. Es diu Miquel.
• Quan va arribar?	Va arribar diumenge. Va arribar cansat.	• Com està?	Bé. Aquí.
• Per què riu tant?	Riu d'alegria. Riu massa.	• Com escriu?	Escriu una carta. Escriu molt bé.

Omple els espais buits amb ***quant**, **quanta**, **quants** o **quantes**:*

- **Quant** val la camisa?
- ______ anys tens?
- ______ vas pagar de lloguer?
- ______ gent hi ha?
- ______ hores treballes al dia?
- ______ dies vas a gimnàstica?
- ______ temps fa que vius aquí?
- ______ filles tens?
- ______ professors hi ha al centre?
- ______ farina compro?

Omple els espais buits amb un interrogatiu:

A– Digui?
B– Que hi ha el Toni?
A– Sí que hi és. ______ el demana?
B– Sóc l'Eduard.
A– Un moment, ara s'hi posa.
B– Eduard, que vols venir al cinema?
C– No puc.
B– ______ no pots?
C– Perquè estic estudiant.
B– ______ estudies?
C– Geografia, demà tinc l'examen.

Present d'indicatiu

ara,
sempre,
mentre,
...

	voler	poder
jo	vull	puc
tu	vols	pots
ell/ella/vostè	vol	pot
nosaltres	volem	podem
vosaltres	voleu	podeu
ells/elles/vostès	volen	poden

7 *Llegeix els diàlegs i omple els espais buits amb la forma verbal adequada:*

Marta, vols venir al Tibidabo?

Quan?

Dissabte a la tarda.

No puc. Vaig a Sant Cugat.

El Rafel pregunta a la Marta si ____________ anar al Tibidabo però ella respon que no ____________ perquè ____________ a Sant Cugat.

Jordi, voleu venir al Tibidabo, tu i la Júlia?

Quan?

Dissabte a la tarda.

No podem. Anem al teatre.

El Rafel pregunta al Jordi si ell i la Júlia ____________ anar al Tibidabo però ells responen que no ____________ perquè ____________ al teatre.

Avui dissabte, jo ____________ sol al Tibidabo perquè la Marta, la Júlia i el Jordi no ____________ venir.

– Que hi és, el Miquel?	– Que hi és, el Miquel?
– No **ho** sé.	– No sé **si hi és, el Miquel**.
– Doncs, pots mirar-**ho**, sisplau?	– Doncs, pots mirar **si hi és, el Miquel**, sisplau?
– Sí, ara **ho** miro.	– Sí, ara miro **si hi és, el Miquel**.

– Hola, bon dia!	– Hola, bon dia!
– Sap quants codis de barres necessito per participar en el concurs *El més ràpid és el més lent*?	– Sap quants codis de barres necessito per participar en el concurs *El més ràpid és el més lent*?
– **Ho** sento, no **ho** sé.	– Sento **no saber quants codis de barres necessita per participar en el concurs**, no sé **quants codis de barres necessita**...

Pronom HO (complement directe)

- Substitueix una frase: *Vols dir **quants anys té el teu amic**?* *No **ho** vull dir.*
- Substitueix **això** i **allò**: *Tens **això**?* *Sí que **ho** tinc.* *Pots fer **allò**?* *No **ho** puc fer.*

8 *Llegeix el primer text i omple els espais buits del segon, substituint el pronom **ho** pel que representa:*

El Xavier és un poca-solta, no contesta mai les meves preguntes. Vull saber si el Ricard i la Carme de la telenovel·la es casen i em diu que no **ho** sap, i que no vol saber-**ho**. Vull saber què fa i no m'**ho** vol dir, diu que no és el meu problema. La veritat és que no puc suportar tot això. Per què m'**ho** fa?

El Xavier és un poca-solta, no contesta mai les meves preguntes. Vull saber si el Ricard i la Carme de la telenovel·la es casen i em diu que no sap si ____________________ ____________________, i que no vol saber si ____________________. Vull saber què fa i no em vol dir ____________________, diu que no és el meu problema. La veritat és que no puc suportar tot això. Per què em fa ____________________ ____________________?

Tria la resposta correcta:

• Voleu això?	No, no ho volem. No, no volem.
• Coneixeu això d'aquí?	No, no ho coneixem. No no coneixem.
• Sempre fa el que vol?	Sí, sempre ho fa el que vol. Sí, sempre fa el que vol.
• Sabeu com funciona allò?	Sí que ho sabem com funciona. Sí que ho sabem.
• Podem anar a la piscina?	No, no hi podeu anar. No, no hi podeu anar a la piscina.
• Vas a comprar a la peixateria d'aquí?	Sí, sempre vaig. Sí, sempre hi vaig.
• Saps qui vol venir?	No, no ho sé. No, no sap qui vol venir.
• Tens el que et vaig demanar?	No, no ho tens. No, no tinc el que em vas demanar.
• Aneu a la farmàcia?	Sí, ara anem. Sí, ara hi anem.
• Compres tot el que vols?	No, no hi compro perquè no tinc diners. No, no ho compro perquè no tinc diners.
• Vols anar al Tibidabo?	No, no hi puc anar al Tibidabo. Al Tibidabo, no hi puc anar.

10. Al restaurant

RESTAURANT *BON PROFIT*

CARTA

Entrants

sopa de peix	800
amanida	450
arròs negre	800
mongetes amb pernil	600
escalivada	500

Carns

pollastre amb patates	900
xai al forn	1.300
vedella amb bolets	1.200
conill amb cargols	1.100

RESTAURANT *BON PROFIT*

Peixos

lluç al forn	1.200
calamars a la romana	900
rap a la marinera	1.450
salmó a la planxa	1.050

Postres

fruita del temps	350
crema cremada	400
pastís de xocolata	450
mel i mató	500
gelats	300

ELS SENYORS PUIG DINEN AL RESTAURANT

CAMBRER– Què volen de primer?
SENYORA PUIG– Jo, una amanida.
CAMBRER– Com **la** vol: verda o variada?
SENYORA PUIG– Una amanida verda, sisplau.
SENYOR PUIG– Doncs per a mi, sopa de peix.
CAMBRER– Molt bé. I de segon?
SENYORA PUIG– Calamars.
CAMBRER– Com **els** vol: a la planxa o a la romana?
SENYORA PUIG– A la planxa, sisplau.
SENYOR PUIG– Un bistec amb patates.
CAMBRER– Com **el** vol: ben cuit o poc cuit?
SENYOR PUIG– El vull més aviat cru.
CAMBRER– I per beure?
SENYORA PUIG– Aigua mineral amb gas.
SENYOR PUIG– I vi negre.
CAMBRER– Alguna cosa més?
SENYORA PUIG– Sí, pot portar unes olives per picar?
CAMBRER– Com **les** vol: arbequines o negres?
SENYOR PUIG– Vostè mateix.

1 *Completa la nota del cambrer:*

RESTAURANT *BON PROFIT*

Taula 6

Primers:

Amanida

Segons:

Begudes:

Pronoms EL, LA, ELS, LES (complement directe)

Substitueixen un complement directe definit.

Com vol **el peix**?	**El** vull a la planxa.
Com vol **els calamars**?	**Els** vull a la planxa.
Com vol **la carn**?	**La** vull a la planxa.
Com vol **les gambes**?	**Les** vull a la planxa.

Atenció! Els pronoms **EL** i **LA** es converteixen en **L'** si el verb comença en **vocal** o **h**.

*Agafes **el cotxe**?*	*Sí que **l'**agafo.*
*Agafes **aquesta bossa**?*	*Sí, ara **l'**agafo.*

Torna a escriure el text canviant les paraules amb negreta per un pronom:

Per preparar l'amanida:

Primer: Agafem l'enciam, rentem **l'enciam**, tallem **l'enciam** i posem **l'enciam** a la plata.
Segon: Agafem els tomàquets, rentem **els tomàquets**, tallem **els tomàquets** i posem **els tomàquets** a la plata al voltant de l'enciam.
Tercer: Agafem la ceba, pelem **la ceba**, tallem **la ceba** i posem **la ceba** per sobre.
Quart: Obrim un pot d'olives i posem **les olives** al damunt de l'amanida. I ja podem servir **l'amanida**!

Per preparar l'amanida:

Primer: *Agafem l'enciam, el rentem,*

Segon:

Tercer:

Quart:

Omple l'espai buit amb el pronom adequat:

Com vol el bistec?	*El*	vull ben cuit.
Com volen el formatge?		volem sec.
Com vol les maduixes?		vull amb nata.
Com vol les patates?		vull bullides.
Com vol la llet?		vull descremada.
Com volen el peix?		volem al forn.
Com vol l'aigua?		vull sense gas.
Com vol el vi?		vull rosat.
Com vol els musclos?		vull a la marinera.
Com volen els gelats?		volem de maduixa i xocolata.
Com vol l'oli?		vull d'oliva.

Escriu aquests adjectius al lloc més adequat:

cuita, descremada, fregides, fregit, cru, sec, grossos, dur, blanc, madur

el bistec cuit	***el bistec cru***
el formatge tendre	
la carn crua	
les patates bullides	
l'ou ferrat	
el peix bullit	
la llet sencera	
el vi negre	
els panets petits	
el tomàquet verd	

CAMBRER– I per postres?
SENYORA PUIG– Per a mi, flam amb nata.
CAMBRER– Ho sento, no **en** tenim.
SENYORA PUIG– Doncs crema cremada.
CAMBRER– Ho sento, no ens **en** queda.
SENYORA PUIG– Doncs, què hi ha?
CAMBRER– Hi ha mel i mató, pastís de xocolata, gelats...
SENYORA PUIG– Doncs, un gelat de maduixa.
CAMBRER– De maduixa, no n'hi ha.
SENYORA PUIG– Doncs, de què **en** tenen?
CAMBRER– **En** tenim de vainilla i de xocolata.
SENYORA PUIG– Sap què? Un cafè.
SENYOR PUIG– Per a mi un gelat de maduixa.
SENYORA PUIG– Però si no **en** tenen.
SENYOR PUIG– Ah! No **en** tenen! Doncs, crema.
SENYORA PUIG– Narcís!

Pronom EN (complement directe)

Substitueix un complement directe indefinit.

Tenen **gelats**?	No **en** tenim.
Tenen molts **clients**?	Sí, **en** tenim molts.

Atenció! El pronom **EN** es converteix en **N'** si el verb comença en **vocal** o **h**.

*Agafes **diners**?*	*Sí, **n'**agafo uns quants.*

*Omple els espais buits amb el pronom **en** i un verb:*

- Tenen vedella? **En tenim** de Girona.
- Que té formatge? ________ de la Cerdanya.
- Tenen maduixes del Maresme? No, no ________.
- Vols anxoves de l'Escala? No, no ________, gràcies.
- Hi ha galetes de Camprodon? No, no ________.
- Agafes aquest vi del Penedès? Sí, ________ dues ampolles.
- Portes olives de l'Urgell? De l'Urgell, sí, ________ un pot.
- Teniu llonganissa de Vic? De Vic, no, no ________.
- Volen llagostins d'Amposta? I tant que ________!

*Posa el pronom **en** només on sigui necessari:*

Maria,
Si surts, compra tomàquets madurs, que no .... queden, i
tampoc .... hi ha sal.
De pa, ... tenim una mica per sopar, però no .... hi ha
per demà esmorzar.
Si no .... tens diners, ... agafes del pot de la cuina.

De cada grup de tres frases, a una li correspon el pronom ***en****, a una altra* ***ho*** *i a la tercera* ***el****,* ***la****,* ***els*** *o* ***les****. Omple, doncs, els espais buits:*

- Poses sal? Sí, **en** poso una mica.
  Poses la sal? Sí, ara **la** poso.
  Poses el que et vaig dir? Sí, ara **ho** poso.

- Porta anxoves, la Júlia? Sí, sempre ______ porta.
  Porta tot el que fa falta, la Júlia? Sí, sempre ______ porta.
  Porta les anxoves, la Júlia? Sí, sempre ______ porta.

- Vau tallar el pernil? Sí, ja ______ vam tallar.
  Vau tallar cebes? Sí, ja ______ vam tallar.
  Vau tallar el que vam comprar? Sí, ja ______ vam tallar.

- Pots portar alguna ampolla de llet? ______ puc portar una caixa ara mateix.
  Pots portar els paquets de cafè? ______ puc portar ara mateix.
  Pots portar el que volen? ______ puc portar ara mateix.

- Que rento tot això per fer l'amanida? Sí, ______ rentes. Gràcies.
  Que rento tomàquets per fer l'amanida? Sí, ______ rentes uns quants. Gràcies.
  Que rento l'enciam per fer l'amanida? Sí, ______ rentes i ______ talles.

- Qui menja maduixes? En Miquel ______ menja.
  Qui menja allò? En Miquel ______ menja.
  Qui menja les postres? En Miquel ______ menja.

- Ven carn de bou la carnissera? No, ara ja no ______ ven.
  Ven això la carnissera? No, no ______ ven.
  Ven els pollastres la carnissera? No, no ______ ven.

Omple els espais buits amb el pronom adequat:

El Rafel i el Miquel arriben tard d'un llarg cap de setmana a casa del Rafel. Volen preparar-se el sopar, però amb què?

–Quina gana que tinc!
–Jo també. Què hi ha per sopar?
–No ______ sé. Ara ______ miro.
–Tens una mica de formatge?
–No ______ hi ha. ______ vaig acabar abans de marxar. Només hi ha un iogurt caducat, dos tomàquets i una poma a la nevera.
–Si no ______ vols tu, me ______ menjo jo, la poma, per postres.
–Per postres de què si encara no tenim sopar?
–Podem fer uns espaguetis.
–No ______ tinc. Fa temps que no ______ compro.
–Doncs arròs.
–L'últim paquet que tenia també ______ vaig acabar abans de marxar. Ah, però tinc una llauna de cigrons i una de tonyina.
–Mira, doncs, ______ obrim totes dues, agafem els tomàquets, ______ tallem ben petits i ______ barregem tot.
–Bona idea! La poma, ens ______ partim?
–Però si tu no vols postres!

I tu, què vas menjar ahir per dinar? I per sopar?

Test 2

Tria la resposta correcta:

1. On vas néixer?
   a. Vaig néixer a Alella.
   b. Vas néixer a Alella.
   c. Va néixer a Alella.

2. Quan mires la televisió?
   a. La mires cada dia.
   b. La miro cada dia.
   c. La mira cada dia.

3. Que hi ha la Camil·la?
   a. No, no hi ha.
   b. No, no és.
   c. No, no hi és.

4. El Pere és bomber?
   a. Sí que ho és.
   b. Sí que és.
   c. Sí que hi és.

5. Com és aquell noi?
   a. És baix i més aviat gras.
   b. És baixa i grassa.
   c. És prim i més aviat gras.

6. Encara treballes a Gavà?
   a. Sí, encara treballo.
   b. Sí, encara hi treballo.
   c. Encara ho treballo.

7. Que vols més tomàquet?
   a. No vull més, gràcies.
   b. No en vol més, gràcies.
   c. No en vull més, gràcies.

8. Compres coca per a la festa?
   a. Sí, compro molta.
   b. Sí, compro per a la festa.
   c. Sí, en compro molta.

9. Com és el llum?
   a. És vell, però molt bonics.
   b. És nova, però molt bonica.
   c. És nou, però molt bonic.

10. Quants coixins tens?
    a. Tinc dos.
    b. En tinc dos.
    c. En tens dues.

B *Tria la paraula adequada per a l'espai buit:*

1. En Joan ahir ______ a Manresa?
   a. va
   b. anar
   c. va anar

2. Són uns nois alts i ______.
   a. prim
   b. prims
   c. primes

3. Aquesta tarda jo no ______ sortir de casa.
   a. pot
   b. puc
   c. pots

4. ______ és el lavabo? Al fons a l'esquerra.
   a. Com
   b. On
   c. D'on

5. Què vas fer ahir? Em ______ quedar al despatx fins tard.
   a. vaig a
   b. vaig
   c. va

6. No trobo el comandament del vídeo ______.
   a. pertot arreu
   b. pertot
   c. enlloc

7. Vosaltres no ______ els fills del meu germà?
   a. coneixen
   b. conèixer
   c. coneixeu

8. El cap de setmana passat ______ vam cansar molt.
   a. em
   b. ens
   c. nos

9. Qui ______ quan es casen el Pere i la Júlia?
   a. sap
   b. saps
   c. saben

10. Diu que els seus amics ja van arribar ______.
    a. avui
    b. ahir
    c. ara

11. I a tu, què t'agrada?

COM LI AGRADA PASSAR LES VACANCES?

PERE

A mi **m'agraden molt** els esports: nedar, anar amb bicicleta de muntanya, caminar, patinar... Quan arriben les vacances, **m'agrada** sortir amb els amics i anar a la muntanya.

Srs. VILA

A nosaltres **ens agrada molt** fer un viatge cada estiu. **No ens agrada gaire** anar lluny perquè ja som grans, però marxar una setmana ens fa molta il·lusió. Preferim viatjar amb tren o amb autobús. L'avió **no ens agrada gens**; ens fa por i el menjar **no és gaire** bo.

Sra. MERCÈ

Les vacances són per descansar. **M'agrada molt** estar amb la família, passejar, llegir i parlar amb la gent. **M'agrada força** la platja, prendre el sol, anar amb els meus fills als parcs aquàtics i a la fira, parlar amb els amics i també **m'agrada** jugar al dòmino.

JÚLIA

Jo aprofito les vacances per fer fotografies. **M'agrada molt** conèixer llocs diferents, amb gent i costums nous. **No m'agrada gens** quedar-me a prop. Com més lluny millor. Quan torno **m'agrada** ensenyar les fotografies a tothom.

1 *Després de llegir el text, quines vacances pots proposar a cadascú?*

- Quinze dies en un càmping dels Pirineus.
- Un mes en un apartament a la Costa Brava.
- Un viatge a l'Amazones.
- Uns dies a Santiago de Compostela.

Quantitatius

+	
Moltíssim	
Molt	*M'agraden **molt** els donuts.*
Bastant / Força	*M'agraden **bastant** / **força** els donuts.*
No ... gaire	***No** m'agraden **gaire** els donuts.*
No ... gens	***No** m'agraden **gens** els donuts.*
No ... gens ni mica	***No** m'agraden **gens ni mica** els donuts.*
-	

2 *Observa els dibuixos i completa el text:*

Moltíssim

Molt

Força

No... gaire

No... gens

A mi m'agrada ______ banyar-me al mar, m'agrada ______ mirar la TV, m'agrada ______ ballar, però ______ m'agrada ______ jugar a futbol i no m'agrada ______ llevar-me d'hora.

Moltíssim

Molt

Força

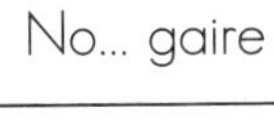

No... gaire

No... gens

A la Paula li agrada ______ tocar la guitarra, ______ cantar en el *karaoké*, ______ escoltar la ràdio, però ______ fer fotografies i ______ llegir.

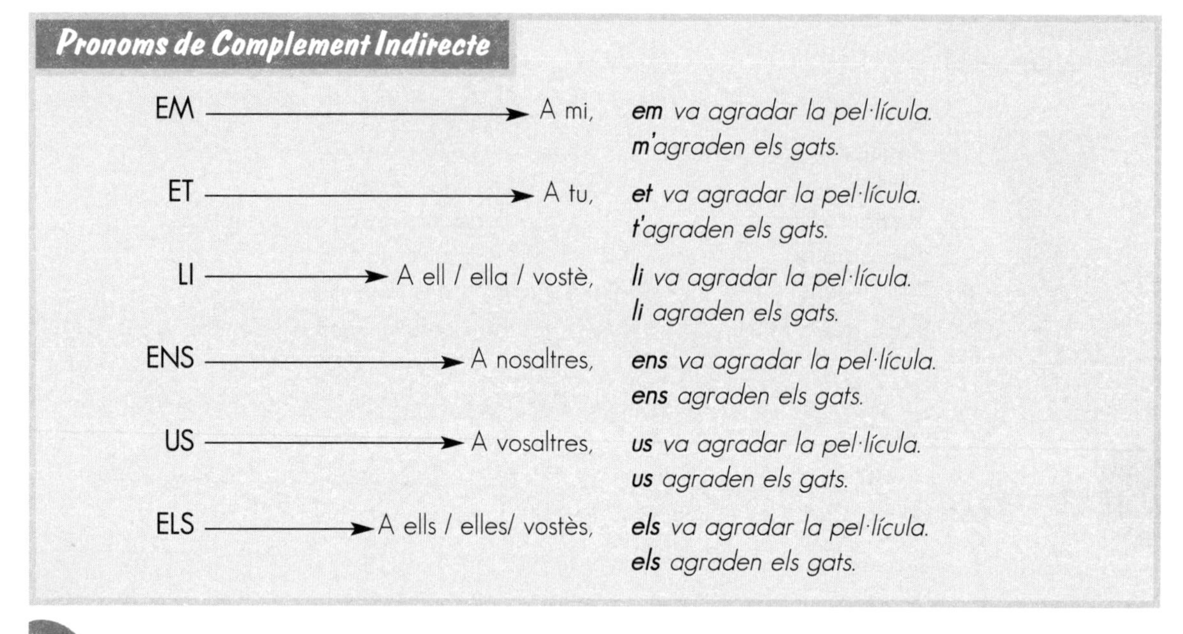

Pronoms de Complement Indirecte

EM →	A mi,	***em*** *va agradar la pel·lícula.* ***m'****agraden els gats.*
ET →	A tu,	***et*** *va agradar la pel·lícula.* ***t'****agraden els gats.*
LI →	A ell / ella / vostè,	***li*** *va agradar la pel·lícula.* ***li*** *agraden els gats.*
ENS →	A nosaltres,	***ens*** *va agradar la pel·lícula.* ***ens*** *agraden els gats.*
US →	A vosaltres,	***us*** *va agradar la pel·lícula.* ***us*** *agraden els gats.*
ELS →	A ells / elles/ vostès,	***els*** *va agradar la pel·lícula.* ***els*** *agraden els gats.*

3 *Completa els espais buits amb el pronom adequat:*

Al Rafel, quan arriben les vacances, ______ agrada marxar uns quants dies a practicar esports d'aventura. ______ agrada molt nedar, ______ agrada fer esquí aquàtic i també ______ agrada practicar el submarinisme.

Als senyors Puig, ______ agrada fer un viatge cada estiu. No ______ agrada anar gaire lluny perquè ja són grans però una setmana fora de casa ______ fa molta il·lusió.

4 *Ratlla tot allò que no sigui correcte:*

- Als senyors Puig, *els ~~/ li~~* agraden *els càmpings ~~/ la muntanya~~.*
- Al Pere, *els / li* agrada *els càmpings / la muntanya.*
- A la Maria i a mi, *ens / us* agraden *els gossos / el gat.*
- A tu i a la Roser, *ens / us* agrada *el mar / els parcs aquàtics.*
- A tu, *li / t'*agraden *els aeroports / llegir.*
- A mi, *us / m'*agraden *els viatges llargs / l'esport.*
- A vostè, *li / els* agrada *els gossos / llegir.*
- A vosaltres, *els / us* agraden *els parcs aquàtics / el mar.*
- Als meus pares *els / li* agrada *aquest gat / els gossos.*

I a tu, què t'agrada fer durant les vacances? I què no t'agrada fer?

Omple els espais buits de les frases amb els pronoms:

- A mi **em** va agradar molt escoltar la ràdio.
- A la Mariona no ______ agrada gens jugar a la loteria.
- A la Joana i a mi ______ agraden molt els animals.
- Em llevo d'hora, però no ______ agrada.
- Als meus companys no ______ agrada gaire cantar.
- He fet aquesta fotografia per a tu; ______ agrada?
- A tu i a l'Esteve, ______ agrada viatjar, oi?
- Ets alt i ______ agrada jugar a bàsquet.
- Van anar a Figueres i ______ va agradar molt el museu Dalí.

7 *Posa cadascuna d'aquestes paraules al lloc adequat:*

mestre, tardor, verd, ocells, por, cotxe

- Quin color t'agrada més: el groc, el vermell, el blau o el ______?
- Quina estació de l'any t'agrada més: la primavera, l'estiu, la ______ o l'hivern?
- Quines pel·lícules t'agraden més: les d'aventures, les de suspens, les romàntiques o les de ______?
- Quin mitjà de transport t'agrada més: el tren, l'avió, el vaixell o el ______?
- Quins animals t'agraden més: els gossos, els gats, els cavalls o els ______?
- Quina feina t'agradaria més fer: d'infermer, d'actor, de secretari o de ______?

Interrogatius (II)

		QUIN	*Quin llibre t'agrada?*
(quina cosa) QUÈ	*Què t'agrada?*	QUINA	*Quina cadira t'agrada?*
(quina persona) QUI	*Qui t'agrada?*	QUINS	*Quins llibres t'agraden?*
		QUINES	*Quines cadires t'agraden?*

Completa les preguntes amb l'interrogatiu ***quin, quina, quins*** *o* ***quines***:

- **Quin** dia és avui?
- ______ hora és?
- ______ número de telèfon tens?
- ______ números falten?
- ______ emissora de ràdio escoltes?
- ______ restaurants estan tancats?
- ______ pel·lícula fan a les vuit?
- ______ farmàcies obren avui?
- ______ horaris fan vostès?

Completa les preguntes amb l'interrogatiu adequat:

- **Qui** t'agrada més: Batman o Superman?
- ______ t'agrada més: el tennis o el futbol?
- ______ bicicletes t'agraden més?
- ______ t'agrada més: cantar o ballar?
- ______ mesos t'agraden més?
- ______ moto t'agrada?
- ______ exercici t'agrada menys?
- ______ peixos t'agraden més?
- ______ t'agrada més: Picasso o Dalí?

12. La Tina s'avorreix

LA FAMOSA ARTISTA TINA VISITA EL SEU PSIQUIATRE

TINA– Doctor, **pateixo** tant últimament!
DOCTOR– I doncs?
TINA– **M'avorreixo** tot el dia. Res no em **diverteix**.
DOCTOR– Però la seva feina, el seu públic... **Llegeixo** crítiques excel·lents...
TINA– Sí, doctor, tothom m'**aplaudeix**, el meu públic m'estima, però jo **prefereixo** les seves paraules.
DOCTOR– Gràcies, però...
TINA– Em poso nerviosa i **discuteixo** amb tothom.
DOCTOR– Ja **dorm**?
TINA– **Dormo**, menjo, **segueixo** tots els seus consells, però no em trobo bé, doctor.
DOCTOR– No es preocupi. A poc a poc trobarem la solució.
TINA– Moltes gràcies, doctor. Ja em **sento** millor.
DOCTOR– Senyora, fins la setmana vinent.

Llegeix el text i completa les frases amb la paraula o paraules adequades:

- El metge diu a la Tina que trobaran la solució ***de mica en mica*** .
  ràpidament **de mica en mica**
- La Tina es troba ________ .
  bé **malament**
- Després de visitar el doctor se sent ________ .
  millor **pitjor**
- La Tina discuteix amb ________ .
  el seu públic **tothom**
- La Tina visitarà el doctor ________ .
  la setmana passada **la setmana vinent**
- La Tina dorm ________ .
  molt **poc**
- Les crítiques al treball de la Tina són ________ .
  pèssimes **excel·lents**

Present d'indicatiu (3a conj.)

ara, sempre, mentre...

	dormir	servir
jo	dorm**o**	serv**eix**o
tu	dorm**s**	serv**eix**es
ell/ella/vostè	dorm	serv**eix**
nosaltres	dorm**im**	servim
vosaltres	dorm**iu**	serviu
ells/elles/vostès	dorm**en**	serv**eix**en

La majoria de verbs de la 3a conjugació es conjuguen amb l'increment -**eix** com **servir**. Es conjuguen com **dormir**: *sentir, morir, bullir, collir, sortir, cosir, escopir, obrir, omplir...*

2  *L'infinitiu de **pateixo** és **patir**. Escriu l'infinitiu dels verbs en negreta del text de la pàgina 85:*

pateixo	patir		
m'avorreixo	avorrir-se		

3 *Completa el text amb la forma adequada del verb entre parèntesis:*

La Tina és una dona que (patir) ______ i (deprimir-se) ______ fàcilment perquè (avorrir-se) ______. Nosaltres som grans admiradors i la (seguir) ______ pertot arreu on actua i (llegir) ______ totes les entrevistes que li fan. Sempre li (repetir) ______ que és una gran artista però no (atrevir-se) ______ a contradir-la perquè té un caràcter molt difícil.

Escriu el pronom (jo, tu, ell, nosaltres, vosaltres, ells) adequat als espais buits:

- **Tu** no sents res quan dorms.
- ________ dorm profundament i no sent res.
- ________ collim patates i les bullim amb aigua i sal.
- ________ omple l'olla d'aigua i bull les verdures.
- ________ obre la porta i surt corrent.
- ________ cull el botó i el cus a la camisa.
- ________ obres l'ampolla i l'omples de vi.
- ________ obro l'ampolla i l'omplo d'aigua.
- ________ colliu els botons i els cosiu a la camisa.

5

Completa les frases amb la forma adequada dels verbs entre parèntesis:

- Cada vegada que jo (obrir) **obro** el diari hi ha alguna notícia sobre la Tina. Les (llegir) ________ totes perquè (seguir) ________ tot el que fa.

- La Tina es posa molt nerviosa abans d'un espectacle: no (dormir) ________, (conduir) ________ molt malament i (discutir) ________ amb tothom.

- Tu i el Pere (sortir) ________ sempre els últims dels espectacles de la Tina perquè (aplaudir) ________ molt; després, (dormir) ________ contents.

- Tu (omplir) ________ el got de vi a la salut de la Tina cada dia; (sentir) ________ molts comentaris sobre els seus espectacles, però no (llegir) ________ mai cap crítica.

- El Toni i la Carme (preferir) ________ no parlar de la Tina; quan (obrir) ________ el tema, (repetir) ________ que és l'última vegada que en parlen.

Notícies de societat

RES NO DIVERTEIX L'ARTISTA TINA

Redacció.- Segons fonts ben informades, no hi ha res per distreure la famosa Tina: tot l'avorreix. L'ensopiment la persegueix pertot arreu, no troba diversió enlloc ni amb ningú. Declaracions del seu secretari revelen que el problema és que no té cap problema. Tothom parla d'aquesta situació gens envejable... Des d'aquí la saludem i li desitgem el millor.

6 *Escriu el contrari:*

La Tina troba diversió **pertot arreu**.	*La Tina no troba diversió enlloc.*
No té **gens de** feina.	
Tothom parla d'això.	
No té **cap** amic.	
La Tina té **molts** problemes.	
No parla amb **ningú**.	
Una situació **gens** envejable.	

Quantitatius (II)

Adjectius →	CAP (quantitat 0 de coses comptables)	*Té tres llibres.* *No té **cap** llibre.*
	GENS DE (quantitat 0 de coses incomptables)	*Fa molt soroll.* *No fa **gens de** soroll.*
Pronoms →	TOT RES (cap cosa)	*M'agrada **tot**.* *No m'agrada **res**.*
	TOTHOM NINGÚ (cap persona)	***Tothom** canta.* *No canta **ningú**.*
Adverbis →	MOLT GENS	*Plou **molt**.* *No plou **gens**.*

7 *Observa els dibuixos i omple els espais buits:*

res un una cap gens

- Sobre el prestatge hi ha ________ peixera.
- Sobre el prestatge no hi ha ________ peixera.
- Sobre el prestatge no hi ha ________ .

res un una cap gens

- Dins la peixera no hi ha ________ peix negre.
- Dins la peixera no hi ha ________ d'aigua.
- Dins la peixera no hi ha ________ .

res tothom ningú cap

- ________ va venir a la nostra festa.
- ________ noia no va venir a la nostra festa.
- ________ no va venir a la nostra festa.

*Escriu **cap** o **gens de** segons convingui:*

El Joan no té **cap** guitarra.
_____ calor.
_____ amiga.
_____ preocupació.

No hi ha _____ fum.
_____ problema.
_____ cadira.
_____ gasolina.

De gana, no en té _____.
De mosca, no n'hi ha _____.
De rellotge, no en té _____.
De neu, no n'hi ha _____.

De febre, no en té _____.
De carn, no n'hi ha _____.
De fred, no en té _____.
De cotxe, no n'hi ha _____.

*Escriu **res** o **cap** segons convingui:*

- Últimament no aconsegueixo fer **res** de bo.
- Últimament no aconsegueixo fer _____ feina.
- No fan _____ pel·lícula interessant.
- No fan _____ interessant.
- No hi passa _____, en aquest poble.
- No hi passa _____ circ, per aquest poble.
- No vol _____ regal pel seu aniversari.
- No vol _____ pel seu aniversari.

Contesta les preguntes següents en sentit negatiu:

Qui hi ha?	**No**	hi ha	**ningú**	.
Què vols?		vull		.
Com canta?		canta		bé.
On va?		va		.
Qui truca?		truca		.
Tens gana?		tinc		de gana.
Quants nebots té?		té		nebot.
Teniu son?		en tenim		.
Qui vol això?		ho vol		.

Escriu les frases següents en negatiu:

Aplaudeixo molt.	**No aplaudeixo gens.**
Segueix el Pere pertot arreu.	
Llegeix moltes coses.	
Sent molt fred.	
Ho discuteix tot.	
Coneix tothom d'aquesta ciutat.	
Obrim totes les finestres.	
Presumeix amb tothom.	
Reparteixen tots els entrepans.	

13. Història de la meva vida

LA VIDA DEL RAFEL

El Rafel va néixer a Vilanova fa vint-i-cinc anys. Va ser el tercer fill del Josep Serra i de la Montserrat Garcia.

De petit **anava** a l'escola del poble i **jugava** amb els amics al magatzem de la fonda dels seus pares. Els **agradava** fer cabanes i **jugaven** a cuit i amagar. Cada dissabte **acompanyava** el seu pare al mercat.

Sempre **passava** les vacances d'estiu al poble de la seva mare. Les ovelles **cridaven** quan ell **tocava** la guitarra i el seu amic la bateria al mig del camp.

De més gran va estudiar en una escola de la ciutat. Els estudis no li **interessaven** gaire. A les classes **s'avorria** però **jugava** molt bé a bàsquet i sovint **s'enamorava** d'alguna noia.

Els caps de setmana **ajudava** els pares al restaurant i **mirava** la televisió o algun vídeo ajagut al sofà. Quan als divuit anys **feia** el servei militar **rumiava** què faria després. Quan el va acabar, i mentre **buscava** alguna feina relacionada amb l'esport, va aprendre l'ofici de paleta.

Contesta aquestes preguntes:

On va néixer el Rafel?
Quants germans tenia?
A què jugava de petit?
Què feia a l'estiu?
Què feia amb l'escombra?
Què feien les ovelles quan el sentien?
On anava amb el seu pare?
Què feia a la ciutat?
Què feia els caps de setmana?
Quan va fer el servei militar?

Pretèrit imperfet d'indicatiu (verbs regulars)

abans...

	mirar	sortir
jo	mir**ava**	sort**ia**
tu	mir**aves**	sort**ies**
ell/ella/vostè	mir**ava**	sort**ia**
nosaltres	mir**àvem**	sort**íem**
vosaltres	mir**àveu**	sort**íeu**
ells/elles/vostès	mir**aven**	sort**ien**

Completa les frases amb el pronom adequat:

- Quan érem petits l'Anna i *jo* anàvem a la mateixa escola.
- ______ sempre jugaven a pilota al carrer.
- Abans ______ tenies més temps per mirar la televisió.
- ______ podíeu jugar a pilota tot l'estiu.
- ______ teníem poques ganes d'estudiar.
- El Miquel i ______ sabíem el que volíem ser de grans.
- A ______ us cridaven quan passàveu per davant de casa.
- ______ acompanyàvem els nens a l'escola.
- ______ estava content de passar les vacances amb els avis.

3 Completa els espais buits amb la forma adequada del pretèrit imperfet dels verbs entre parèntesis:

- Jo sempre (jugar) **jugava** a pilota al pati de l'escola.
- Els teus pares (cantar) ______ en un grup de rock.
- Tu de vegades ens (amagar) ______ els llibres i l'esmorzar.
- Oi que vosaltres (tocar) ______ la guitarra?
- Sovint nosaltres (sortir) ______ tard de casa per anar a l'escola.
- De petits, l'Octavi i la Marina (discutir) ______ per tot.
- La Marina i jo també (discutir) ______ sovint.
- La nostra millor amiga ens (esperar) ______ sempre al carrer.
- Vosaltres sovint (ajudar) ______ la mare a fer el dinar.

4 Completa el text amb la forma adequada del verb entre parèntesis:

El meu amic Rafel i jo (passar) ______ les vacances d'estiu en un poble de muntanya. Cada matí (banyar-se) ______ al riu i cada tarda (reunir-se) ______ amb tres o quatre amics i (jugar) ______ a futbol o (imaginar-se) ______ que érem uns grans músics. Jo (tocar) ______ la bateria i (cantar) ______ i el Rafel (tocar) ______ la guitarra. No (avorrir-se) ______ mai.

Pretèrit imperfet d'indicatiu (verbs irregulars)

abans...	ser	fer	dir	viure
jo	era	feia	deia	vivia
tu	eres	feies	deies	vivies
ell/ella/vostè	era	feia	deia	vivia
nosaltres	érem	fèiem	dèiem	vivíem
vosaltres	éreu	fèieu	dèieu	vivíeu
ells/elles/vostès	eren	feien	deien	vivien

Completa les frases amb el pronom adequat:

- **Nosaltres** fèiem festa d'escola només el diumenge.
- ______ sempre eres el primer de la classe.
- De petits, ______ vivien amb els seus oncles.
- Abans ______ dèiem que no volíem fer el servei militar.
- ______ éreu mestres però fèieu de cuiners.
- ______ vivies lluny de la ciutat.
- Fa anys, ______ eren bons companys.
- ______ feies enfadar sempre els teus pares.

Omple els espais buits del text amb la forma adequada del verb entre parèntesis:

Els meus avis (dir-se) ______ Josep i Rosa. (Viure) ______ en un poble de muntanya. (Tenir) ______ un hort i (cuidar) ______ vaques i gallines. Aquella (ser) ______ una vida molt diferent a la d'ara. No (haver-hi) ______ ni televisió ni telèfon. Al poble, els hiverns (ser) ______ molt freds però els avis (estar) ______ acostumats a les baixes temperatures i a la neu. (Passar) ______ llargues hores a la vora del foc i (esperar) ______ el bon temps. Nosaltres els (anar) ______ a veure a l'estiu quan els pares (fer) ______ vacances.

Omple l'espai buit amb la forma adequada del verb:

treballar Jo ara **_treballo_** a Lleida però abans **_treballava_** a Mollerussa.

dir De petit, sempre em ________ que no volies gossos i ara, sempre em ________ que vols un gos.

mirar Nosaltres ara no ________ mai la televisió al vespre, però abans la ________ sempre.

sortir Vosaltres abans ________ de la feina més d'hora, en canvi ara ________ sempre tard.

tornar La Rosa i jo ara ________ a les deu, però abans ________ a les set.

dormir Aquests nens abans ________ deu o onze hores, però ara només en ________ vuit.

patir Tu ara ja no ________ tant, però abans ________ per tot.

fer Aquest any a la TV ________ partit cada dimecres. L'any passat en ________ cada divendres.

anar La setmana passada jo encara ________ amb el cotxe vell, però ara ja ________ amb el nou.

Temporals

+ → –	
Sempre	*Jugava* ***sempre.***
Sovint	*Jugava* ***sovint.***
De vegades / De tant en tant	*Jugava* ***de vegades.*** */ Jugava* ***de tant en tant.***
Mai	***No*** *jugava* ***mai.***

Amb quina freqüència realitzaves aquestes activitats?

Acompanyaves el pare al mercat. ____________
Jugaves a fer cabanes. ____________
Passaves les vacances d'estiu amb els avis. ____________
Jugaves a bàsquet. ____________
T'enamoraves. ____________
Feies els deures. ____________

Omple els espais buits:

sempre **sovint** **de tant en tant** **mai**

De petit, amb les meves germanes ____________ jugava a pilota, ____________ a saltar a corda, ____________ a nines, però ____________ jugàvem a cartes; no ____________ teníem.

I tu? Explica la història de la teva vida.

Jo vaig néixer ____________

14. Què t'ha passat?

Us parla el contestador automàtic del 345 98 76. Deixeu l'encàrrec després de sentir el senyal. Piiiiiip...

"Hola, Rafel, sóc el Miquel. Et truco per dir-te que avui ***he anat*** *a veure la Júlia a l'hospital. L'operació* ***ha estat*** *un èxit; fa molt bona cara i es troba bé. Els metges li* ***han dit*** *que ja pot començar a caminar.* ***Ha dormit*** *tot el matí i* ***ha dinat*** *com una fera. A la tarda* ***ha tingut*** *moltes visites;* ***ha estat*** *molt entretinguda. Li* ***he explicat*** *que tenies molta feina i que no hi podies anar. T'envia una abraçada. Tranquil, doncs, que tot* ***ha anat*** *bé. Fins demà!"*

Torna a escriure el missatge del Miquel, però canviant el temps verbal:

"Hola Rafel, sóc el Miquel. Et truco per dir-te que **ahir vaig anar** a veure la Júlia a l'hospital. L'operació ______ un èxit; feia molt bona cara i es trobava bé. Els metges li ______ que ja podia començar a caminar. ______ tot el matí i ______ com una fera. A la tarda ______ moltes visites, ______ molt entretinguda. Li ______ que tenies molta feina i que no hi podies anar. T'envia una abraçada. Tranquil, doncs, que tot ______ bé. Fins demà!"

Pretèrit indefinit

Present del verb HAVER + Participi

avui,
aquesta setmana,
aquest mes,
aquest any...

	anar	llevar-se
jo	**he** anat	**m'he** llevat
tu	**has** anat	**t'has** llevat
ell/ella/vostè	**ha** anat	**s'ha** llevat
nosaltres	**hem** anat	**ens hem** llevat
vosaltres	**heu** anat	**us heu** llevat
ells/elles/vostès	**han** anat	**s'han** llevat

Participis

Verbs regulars:

1a. Conjugació →	CANTAR	CANTAT
3a. Conjugació →	LLEGIR	LLEGIT
	DORMIR	DORMIT

Verbs irregulars:

VIURE	VISCUT	SER/ÉSSER	ESTAT (SIGUT)
SABER	SABUT	ESTAR	ESTAT
HAVER	HAGUT	FER	FET
TENIR	TINGUT	VEURE	VIST
VOLER	VOLGUT	ESCRIURE	ESCRIT
PODER	POGUT	ENTENDRE	ENTÈS
CONÈIXER	CONEGUT	PRENDRE	PRES

2 *Omple els espais buits de cada frase amb la forma adequada del pretèrit indefinit:*

- Aquest matí l'Olga i jo (anar) **hem anat** a Tarragona.
- En Miquel encara no (tornar) ______ de la feina.
- Tu i l'Andreu (treballar) ______ sempre al mateix lloc?
- Joan, (mirar) ______ què fan avui a la TV?
- Aquest matí, el cardiòleg (operar) ______ el meu germà.
- Aquest hivern, els meus pares no (trobar-se) ______ gens bé.
- El cap de setmana no he vingut perquè (estar) ______ malalt.
- No podem entrar a casa perquè (descuidar-se) ______ les claus dins.
- Avui jo (arribar) ______ tard perquè (adormir-se) ______ .

3 *La Mercè explica què ha fet avui. Omple els espais buits amb la forma adequada del verb entre parèntesis.*

Aquest matí (anar) ______ a treballar com cada dia. Al migdia (quedar) ______ amb el Pere per dinar; ens ho (passar) ______ molt bé. (parlar) ______ de moltes coses. A la tarda jo (tornar) ______ a la feina i (poder) ______ plegar d'hora. Abans de tornar a casa (veure) ______ la Júlia; està molt eixerida.

4 *Completa els espais buits de cada frase amb la forma adequada del pretèrit indefinit:*

tenir / poder

Avui, jo **he tingut** molta feina, no __________ arribar abans.

fer / viure

La Teresa no __________ mai res per canviar; sempre __________ de la mateixa manera.

ésser / saber

Tu i jo __________ els més dolents d'aquest partit; no __________ jugar millor.

escriure / voler

Els nostres companys __________ aquest article perquè __________.

entendre / poder

Pere, ho __________ bé? Per cert, __________ telefonar a la Maria?

haver / conèixer

No hi __________ cap problema i tots els treballadors __________ el nou director.

voler / veure

Els nens no __________ venir i no __________ l'espectacle.

5 *I tu, què has fet avui?*

Encercla la forma més adequada de cada frase:

- Avui la Mireia *va anar* / *ha anat* a l'escola.
- Ahir vosaltres *heu llegit* / *vau llegir* el diari.
- L'any passat el Miquel i la Roser *van fer* / *han fet* un viatge molt llarg.
- Vaig veure el Joan quan *ha portat* / *portava* un paquet a correus.
- De tot això que m'acabes d'explicar, jo no *vaig entendre* / *he entès* res.
- Als anys trenta *hi va haver* / *hi ha hagut* una gran depressió econòmica.
- Finalment aquest matí la Berta *va trobar* / *ha trobat* els papers que buscava.
- La setmana passada *vaig veure* / *he vist* un espectacle fantàstic.
- *Vau estar* / *Heu estat* mai a Bucarest?

Omple els espais buits amb **avui** *o* **ahir** *segons convingui:*

- **Avui** he anat a veure la Júlia a l'hospital.
- ______ vam plegar d'hora de la feina.
- ______ hem llegit el diari mentre us esperàvem.
- ______ es troba més bé i ja pot menjar de tot.
- ______ va caure per les escales i es va trencar una cama.
- ______ ha dormit tota la nit i encara no s'ha llevat.
- ______ m'han dit que vau dinar a casa seva.
- ______ van arribar quan ja no els esperava.

—Hola, Josep! Fas bona cara; com et trobes?
—Més bé, tot i que avui m'he llevat amb mal de cap i una mica de mal de coll i al migdia m'ha agafat un mal de panxa i un mal d'orella molt forts.
—Caram, noi! I ara com estàs?
—Mira, ara fa una estona m'ha començat a fer mal l'esquena i el peu.
—I has anat al metge?
—Avui no, però hi vaig anar ahir.
—I què et va dir?
—Em va dir que era un constipat corrent. Tu també penses que sóc un hipocondríac?

8 *Escriu els noms que falten a cada espai:*

el cap, el coll, la panxa, l'orella, el peu, el braç, la mà

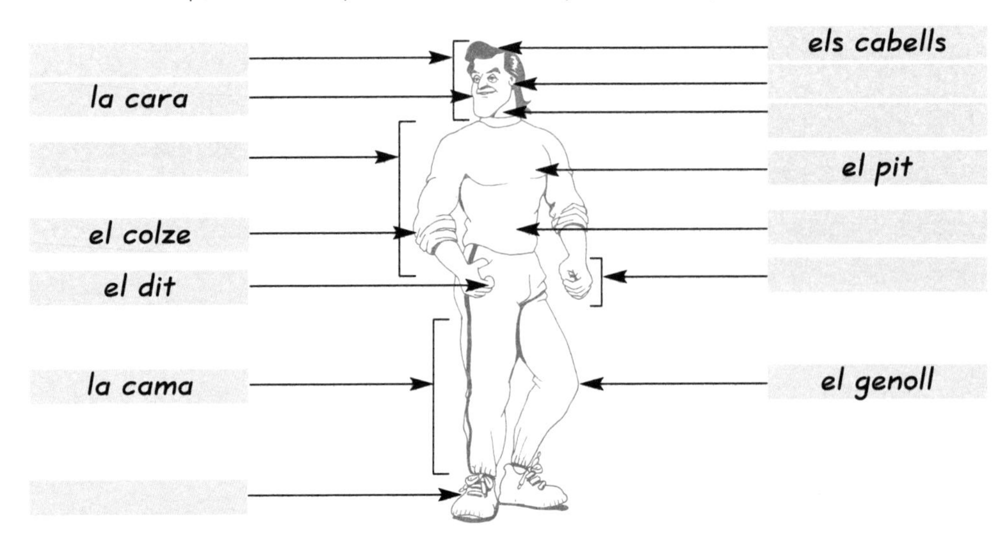

9 *Omple els espais buits amb algunes de les paraules suggerides:*

mal molt malament res

–Com es troba?

–Es troba ______. Té febre, li fa ______ l'orella i està ______ cansat.

res mal gens bé

–Què li fa mal?

–No li fa ______. Es troba molt ______.

res mal malament mala

–Què li passa?

–Està malalt. Té ______ de panxa i ha passat ______ nit, però diu que no vol prendre ______.

mal malament molt gens

–Què els passa?

–No es troben ______ bé. Estan constipades i no paren de tossir. Tenen ______ de cap i el pit ______ carregat.

Omple els espais buits amb la forma adequada de Pretèrit Perfet o Pretèrit Indefinit dels verbs entre parèntesis.

- Aquesta setmana (operar) ______ el meu pare.
- Dimecres passat jo (veure) ______ que feia mala cara.
- Ell fa una estona (prendre's) ______ les pastilles.
- El Miquel, aquesta nit, (tossir) ______ molt.
- Nosaltres, abans d'ahir, (començar) ______ el dia malament.
- Aquest hivern, la Teresa (trobar-se) ______ molt millor.

Torna a escriure el text canviant el temps verbal:

Ahir la Carlota i el Josep van comprar el diari com cada diumenge. Mentre el llegien, van prendre el sol i van fer l'aperitiu en una terrassa del passeig. De sobte la Carlota es va posar vermella i va plegar el diari: hi havia una fotografia seva a la pàgina número cinquanta. Va amagar aquella pàgina a la bossa i va explicar al Josep que no es trobava bé, que estava marejada i que tornava a casa. El Josep va voler acompanyar-la fins al cotxe. Abans de deixar-la li va demanar la pàgina dels mots encreuats.

Avui la Carlota i el Josep han comprat el diari com cada diumenge. Mentre el llegien,

15. On anirem?

Viatges El Paradís S.A.
C. Sense Nom, 15
08006 Barcelona

August Bonasort
C. Camí Dolç, 23, 1r, 2a
08011 Barcelona

Benvolgut senyor,

Enhorabona! Ha guanyat un viatge fantàstic a Mallorca. Amb nosaltres **viurà** dos dies únics, inoblidables.

Arribarà dissabte al matí a Palma de Mallorca, **voldrà** descansar, però nosaltres no el **deixarem**. Excursions magnífiques l'**esperaran**: **visitarà** la catedral, **anirà** a cala Major al taller del pintor Joan Miró, **navegarà** pel llac de les coves del Drac, **descobrirà** la música de Chopin a Valldemossa, **podrà** anar a la platja o viatjar amb el tren de Sóller. **Soparà** a la vora del mar, **coneixerà** l'ambient de nit i **dormirà** en un bon hotel. L'endemà **es llevarà** d'hora, **esmorzarà** una ensaïmada, **sabrà** que només li queden dotze hores a l'illa i les **aprofitarà** al màxim: **farà** una visita a les fàbriques de sabates a Inca i de perles a Manacor, **veurà** molins de vent, tarongers, oliveres... **Serà** l'hora de tornar. **Estarà** cansat, però content. **Sortirà** amb l'avió de les vuit del vespre. Després **ens dirà** que ha estat un somni.

Ben cordialment,

Gentil Clops
Director comercial
Barcelona, 16 de març

Després de llegir la carta de Viatges el Paradís digues si són veritat o falses les afirmacions següents:

- El senyor August ha guanyat un viatge de cap de setmana a Mallorca. V F
- L'anada a Mallorca és en vaixell i la tornada en avió. V F
- Tornarà a Barcelona el vespre del diumenge. V F
- Si compra unes perles a Manacor li regalaran una ensaïmada. V F
- Dissabte podrà anar a la platja en tren. V F
- Anirà a sopar en un restaurant a prop del mar. V F

Futur (verbs regulars)

demà,
demà passat,
la setmana que ve,
l'any vinent...

	sortir
jo	sortir**é**
tu	sortir**às**
ell/ella/vostè	sortir**à**
nosaltres	sortir**em**
vosaltres	sortir**eu**
ells/elles/vostès	sortir**an**

Fixa-t'hi!

INFINITIU sortir
FUTUR sortir + **é**

2 *Omple els espais buits del text amb els verbs en futur:*

Diumenge al matí jo (llevar-se) ______ a les set del matí i (acompanyar) ______ la Teresa al mar. Si fa bon temps, ella (banyar-se) ______ i jo, potser (pescar) ______ una estona. Si fa mal temps (passejar) ______ pel port i (dinar) ______ en un bon restaurant. Havent dinat (tornar) ______ a casa perquè vull veure el partit.

3 *Omple els espais buits amb la forma adequada de futur del verb entre parèntesis:*

- Demà jo (llevar-se) ***em llevaré*** d'hora per anar d'excursió.
- Nosaltres (caminar) ______ dues o tres hores.
- El Narcís i la Lola (dinar) ______ al restaurant.
- L'avió (arribar) ______ amb mitja hora de retard.
- El Josep i jo (acomiadar-se) ______ a l'aeroport.
- Tu també (omplir) ______ l'ampolla amb aigua de la font?
- La Maria (comprar) ______ algun record de la sortida.
- Vosaltres (llegir) ______ el programa abans de marxar, oi?

Futur (verbs irregulars)

demà,
demà passat,
la setmana que ve,
l'any vinent...

	viure	saber	poder	voler
jo	viuré	sab**ré**	pod**ré**	vol**dré**
tu	viuràs	sab**ràs**	pod**ràs**	vol**dràs**
ell/ella/vostè	viurà	sab**rà**	pod**rà**	vol**drà**
nosaltres	viurem	sab**rem**	pod**rem**	vol**drem**
vosaltres	viureu	sab**reu**	pod**reu**	vol**dreu**
ells/elles/vostès	viuran	sab**ran**	pod**ran**	vol**dran**

	fer	anar	tenir	venir
jo	faré	aniré	tindré	vindré
tu	faràs	aniràs	tindràs	vindràs
ell/ella/vostè	farà	anirà	tindrà	vindrà
nosaltres	farem	anirem	tindrem	vindrem
vosaltres	fareu	anireu	tindreu	vindreu
ells/elles/vostès	faran	aniran	tindran	vindran

Omple els espais buits amb la forma adequada de futur dels verbs:

fer / anar
Els oncles ______ festa el cap de setmana i ______ a Besalú.

venir / poder
La Marta i jo ______ quan ______.

viure / anar
L'any vinent jo ______ a Vilanova i ______ al gimnàs del Rafel.

saber / tenir
I vosaltres, quan ______ si ______ festa dijous?

voler / poder
Joan, ______ venir amb nosaltres? ______ fer-ho?

saber / venir
El Miquel ______ aviat els resultats i ______ amb nosaltres.

tenir / fer
Nosaltres al setembre ______ més temps i ______ una sortida.

Omple els espais buits de la carta de Viatges El Paradís en la forma verbal adequada al pronom ***vosaltres****:*

Viatges El Paradís S.A.
C. Sense Nom, 15
08006 Barcelona

August Bonasort
C. Camí Dolç, 23, 1r, 2a
08011 Barcelona

Benvolguts senyors,

Enhorabona! **Heu** guanyat un viatge fantàstic a Mallorca; amb nosaltres **viureu** dos dies únics, inoblidables.

________ dissabte al matí a Palma de Mallorca, ________ descansar, però nosaltres no us ________. Excursions magnífiques us ________: ________ la catedral, ________ a cala Major al taller del pintor Joan Miró, ________ pel llac de les coves del Drac, ________ la música de Chopin a Valldemossa, ________ anar a la platja o viatjar amb el tren de Sóller. ________ a la vora del mar, ________ l'ambient de nit i ________ en un bon hotel. L'endemà ________ d'hora, ________ una ensaïmada, ________ que només us queden dotze hores a l'illa i les ________ al màxim: ________ una visita a les fàbriques de sabates a Inca i de perles a Manacor, ________ molins de vent, tarongers, oliveres... ________ l'hora de tornar. ________ cansats, però contents. ________ amb l'avió de les vuit del vespre. Després ________ que ha estat un somni.

Ben cordialment,

Gentil Clops

Director comercial

Barcelona, 16 de març

I tu, on aniràs? Explica el programa d'una sortida per fer a la primavera o a la tardor.

Jo aniré ______

______

______

______

______

El temps atmosfèric

	AVUI	AHIR	DEMÀ
PLOURE	plou	plovia	plourà
NEVAR	neva	nevava	nevarà
FER SOL	fa sol	feia sol	farà sol
FER VENT	fa vent	feia vent	farà vent
ESTAR NÚVOL	està núvol	estava núvol	estarà núvol
HAVER-HI BOIRA	hi ha boira	hi havia boira	hi haurà boira

Omple els espais buits d'aquestes previsions meteorològiques amb el verb adequat:

El temps seguirà molt inestable demà i demà passat:

- A Lleida ***hi haurà*** boira.
- A la Vall d'Aran (nevar) ______ .
- A la Costa Brava ______ bon temps, però ______ molt vent, tramuntana.
- A Montserrat (ploure) ______ .
- A Tarragona ______ núvol.
- A les illes Balears ______ calor.

Omple els espais buits d'aquesta carta amb la forma adequada del verb entre parèntesis (futur):

Estimada Júlia,

T'he fet la predicció per aquest any que ve tal com em vas demanar. El tarot diu que tindràs un any ple de sorpreses i de canvis. Aquí ho tens:

Salut: Finalment (poder) ________ dir "això és viure". (Trobar-se) ________ bé; (acabar-se) ________ els maldecaps i els nervis. La circulació de la sang (ser) ________ l'adequada. Els peus (ser) ________ el punt feble de l'any.

Diners: (Sortir) ________ noves possibilitats laborals, potser (canviar) ________ de feina, (fer) ________ coses que (agradar) t' ________ molt. Els ingressos econòmics (ser) ________ els mateixos.

Amor: Hi haurà un gran canvi. Aquell amic de qui tant em parlaves (despertar-se) ________. (Viure) ________ un any romàntic, intens.

Recorda que les cartes no s'equivoquen i que les estrelles sempre t'acompanyen.

Una abraçada,

La bruixa Gaia

Escriu el temps adequat del verb entre parèntesis a la resposta de la Júlia a la bruixa Gaia (present, pretèrit perfet, pretèrit indefinit o futur):

Estimada Gaia,

Ja ha passat mig any i et puc dir que les teves prediccions eren molt bones. T'ho explico:

Salut: M'he trobat molt bé, no (tenir) ________ ni nervis ni maldecaps. El mes passat (anar) ________ a una excursió i (caure) ________ i em (fer) ________ mal al peu; ara encara em (fer) ________ mal.

Diners: He canviat de feina. Ara (treballar) ________ en una empresa fantàstica. (Començar) ________ fa un mes. El sou (ser) ________ el mateix, però (haver-hi) ________ molt bon ambient.

Amor: I tant que (despertar-se) ________ el meu amic aquest any! Em (telefonar) ________ cada dia, (sortir) ________ junts els caps de setmana. Diumenge passat (conèixer) ________ la seva família i el seu gos, (ser) ________ encantadors. (Fer) ________ moltes coses junts durant tot aquest temps i (estar) ________ molt il·lusionada. A veure què (passar) ________ després.

Una abraçada molt forta,

Júlia

Test 3

Tria la resposta correcta:

1. Quin temps ha fet aquest cap de setmana?
   a. Plourà molt.
   b. Ha plogut molt.
   c. Va ploure molt.

2. T'agrada el futbol?
   a. No m'agraden gens.
   b. No t'agrada gens.
   c. No m'agrada gaire.

3. Què hi ha dins el calaix?
   a. No n'hi ha cap.
   b. No hi ha res.
   c. No hi ha ningú.

4. Per què no mengeu pastís?
   a. Perquè no ens agrada.
   b. Perquè no els agraden.
   c. Perquè no ens agraden.

5. Què feies abans?
   a. Treballaves a Terrassa.
   b. Treballaven a Terrassa.
   c. Treballava a Terrassa.

6. Com està el malalt?
   a. Molt millor, demà es llevarà.
   b. Malament, demà es llevarà.
   c. Pitjor, demà ja llevarà.

7. Quan tornaran els teus pares?
   a. Abans d'ahir.
   b. L'any vinent.
   c. L'any passat.

8. Agafes l'autobús?
   a. Mai, sempre vaig amb cotxe.
   b. Molt, sempre vaig amb cotxe.
   c. Aviat, sempre vaig amb cotxe.

9. Vas acabar l'exercici?
   a. No, no tenies temps.
   b. No, no vaig tenir temps.
   c. No, no he tingut temps.

10. Qui vindrà a veure el partit?
    a. Vindrà tothom.
    b. Vindrà sovint.
    c. Vindrà força.

B *Tria la paraula adequada per a l'espai buit:*

1. ______ pel·lícula aneu a veure?
   a. Quina
   b. Què
   c. Qui

2. A la Maria i al Joan no ______ agrada gens el cinema.
   a. li
   b. les
   c. els

3. Ja s'ha acabat el concert, però el públic ______ aplaudint.
   a. segueixen
   b. segueix
   c. seguin

4. Em pots dir ______ dia vindran?
   a. qui
   b. què
   c. quin

5. Aquesta tarda ______ els estudiants de Mallorca.
   a. van arribar
   b. arribes
   c. han arribat

6. Abans jo sempre ______ a la perruqueria els dimecres.
   a. vaig anar
   b. he anat
   c. anava

7. Vostè ha ______ el que ha passat?
   a. entendre
   b. entès
   c. entendrà

8. Sempre diu que no ______ agrada gens viatjar.
   a. el
   b. le
   c. li

9. Aquí tens els teus llibres. Jo no ______ necessito.
   a. les
   b. els
   c. los

10. L'any que ve ______ informàtica.
   a. vaig estudiar
   b. estudiava
   c. estudiaré

Continguts de les unitats

1. Presentacions	Present d'indicatiu: **ser**, **dir-se**, **viure** i **tenir**. L'article personal. Demostratius. Numerals (I). Salutacions.
2. De què fas?	Present d'indicatiu: **fer** Articles definits i indefinits. Article definit + preposició A. Preposicions A, EN davant de circumstància de lloc. Noms d'oficis i professions. Dies de la setmana. Mesos de l'any. Estacions. Les hores (I).
3. Activitats quotidianes	Present d'indicatiu: 1a conjugació regular; **anar.** Pronoms personals. Article definit + preposició DE. Les parts del dia. Les hores (II). Accions quotidianes.
4. La casa	Situacionals (I). **Haver**, **haver-n'hi.** Parts de la casa. Adjectius per descriure la casa.
5. La família	Present d'indicatiu: **estar**, **saber.** Possessius. Formació del femení. Expressions per felicitar. Relacions familiars. Adjectius per descriure maneres de ser.
6. On són les claus?	Situacionals (II). Pronom HI com a complement circumstancial de lloc. Formació del plural. Mobiliari i objectes de la casa. Adjectius per descriure com són les coses.
7. Els amics del Rafel	Present d'indicatiu: **conèixer.** Pronom HO com a atribut. Adjectius per descriure l'aspecte físic. Els vestits.

8. El cap de setmana	Pretèrit perfet perifràstic. Pronoms davant i darrere el verb. Numerals (II). Activitats d'oci i esbarjo.
9. Conversa telefònica	**Haver-hi**, **ser-hi.** Present d'indicatiu: **voler**, **poder**. Pronom HO com a complement directe. Interrogatius (I).
10. Al restaurant	Pronoms EL, LA, ELS LES, EN com a complement directe. Aliments. Adjectius per descriure els aliments.
11. I a tu, què t'agrada?	Pronoms de complement indirecte. Quantitatius (I). Interrogatius (II). Activitats de lleure.
12. La Tina s'avorreix	Present d'indicatiu de la 3a conjugació. Quantitatius.
13. Història de la meva vida	Pretèrit imperfet: verbs regulars i **ser**, **fer**, **dir**, **viure**. Temporals. Jocs i entreteniments.
14. Què t'ha passat?	Pretèrit indefinit. Participis: **ser**, **tenir**, **saber**, **poder**, **voler**, **viure**. Parts del cos. Mals i remeis.
15. On anirem?	Futur: regulars i **anar**, **fer**, **haver-hi**, **ploure**, **poder**, **saber**, **tenir**, **venir**, **viure**, **voler**. Temps atmosfèric. Indrets turístics.

Solucionari

Unitat 1

1. *dic / sóc / visc / al carrer/ Tinc /*
   es diu / de / a / al / Té / anys.

3. *Som / us dieu / diem / teniu / tinc / té / sou / som / viviu / visc / viu a*
   són / diuen / Tenen / Són / viu a / viu a

4. *el (en) / el (en)   la / la   L' / la   l' / el (en)   el (en) / la   La / l'*

5. *Aquest / Aquesta / aquestes / allà/ Aquell / aquells*

6. *34 / 62 / 26 / 73 / 97 / 18 / 87 / 41 / 28 / 85 / 69*

7. *disset / vint-i-u (vint-i-un) / trenta-dos / quaranta-sis / seixanta-dos / vuitanta-cinc / noranta-nou /*
   tretze / dinou / vint-i-set / trenta-nou / cinquanta-quatre / setanta-vuit / noranta-tres / cent

8. *un senyor / vint-i-dos nois / quaranta-un homes / setanta-dos nens / cinquanta-un senyors /*
   noranta-dos anys

   una senyora / vint-i-dues noies / quaranta-una dones / setanta-dues nenes /
   cinquanta-una senyores / noranta-dues setmanes

Unitat 2

1. *feina / estiu / bomber / setembre / vacances / vegada / estiu*

2. *treballem / fem, treballen / fan, feu / treballem, sóc / treballo, treballeu / feu, treballa / fa*

3. *cuiner /-a, conductor /-a, cambrer /-a, infermer /-a, peixater /-a, forner /-a, dependent /-a,*
   perruquer /-a

4. *unes infermeres, una pintora, un cambrer, una venedora, uns porters, uns bombers, un perruquer,*
   unes empresàries, unes dependentes, uns enginyers, una secretària.

5. *les directores, la conductora, els cuiners, l'escriptora, els doctors, les forneres, el pescador,*
   els hotelers, les aprenentes, el peixater, la pastissera, l'ajudant.

6. *un forner, una fornera, uns forners, unes forneres*
   un carnisser , una carnissera, uns carnissers, unes carnisseres
   un venedor, una venedora, uns venedors, unes venedores

7. *als restaurants, a l'hospital, a les perruqueries, al mercat, a les universitats, a la botiga,*
   a l'empresa de construcció, a la pastisseria

8. a / a, en, a, en / a, a, a, a / en

9. dimecres / divendres / dissabte / dimarts / dissabte i diumenge

10. (març) abril, maig, juny / (juny) juliol, agost , setembre / (setembre) octubre, novembre, desembre / (desembre) gener, febrer , març

11. Tots Sants -1 de novembre / Cap d'any - 1 de gener / Sant Jordi - 23 d'abril / Dia del Treball - 1 de maig / La revetlla de Sant Joan - 23 de juny / Diada nacional de Catalunya - 11 de setembre / Dia dels sants Innocents - 28 de desembre

12. 23 d'abril. Sant Jordi / 1 de novembre. Tots Sants / 31 de desembre. Nit de Cap d'Any / 23 de juny. Sant Joan / 19 de març. Sant Josep / 28 de desembre. Dia dels sants Innocents.

13. Són tres quarts de nou / Són les tres / Són dos quarts de deu/ És un quart d'una És un quart i mig de sis / És mig quart de set / Són tres quarts i mig de quatre / Són dos quarts i mig de dotze / Són les quatre

14. dos quarts de deu / (les) dues / (les) sis / dos quarts de nou / onze / un quart de nou / tres quarts de tres / deu

Unitat 3

1. A les set. / Escolta la ràdio. / A les vuit ./ És professor de gimnàstica. / En un bar. / Havent dinat . / A les nou. / Amb els amics. / Va al cinema o a ballar. / A mitjanit . / Al carrer Nou.

2. em / es ens / es et / Em us / Ens em / es

3. plega / sopem / anem / torna / ens quedem /parlem

4. vaig / anem / aneu / van / vas / va / vaig / van

5. tard / a prop / sempre / freda / després / mai

7. al migdia / a la tarda / a la tarda / al vespre / a la nit / a la matinada

8. del matí / de la nit / del migdia / de la tarda / del vespre / de la matinada

9. Falten cinc minuts per tres quarts de nou (Tres quarts menys cinc de nou) / Dos quarts i cinc de deu / Falten cinc minuts per un quart de dues (La una i deu) / Un quart i cinc de dotze

   Un quart de cinc / Un quart i mig de nou / Tres quarts i cinc de cinc (Les cinc menys deu) / Dos quarts de dotze / Les dues

10. dos quarts de vuit / dos quarts i cinc de vuit / les vuit i deu / falten cinc minuts per tres quarts de deu / les dotze menys cinc / les dotze / un quart de dues / tres quarts i cinc de tres (les tres menys deu) / les quatre i cinc / un quart i cinc de cinc / tres quarts de cinc / les cinc / dos quarts de sis

Unitat 4

1. el rebedor — la terrassa
   el bany o lavabo — el dormitori
   el menjador — el passadís o corredor
   la cuina

2. B

3. a la vora / l'esquerra / la dreta / davant / al costat / entre

4. sol/ fosc/ mal cèntric/ a la vora/ però/ petit gran/ massa/ pocs/ però

5. gran/ fosc petit/ moblat/ sense econòmic/ mal sense /a prop (a la vora) nova/ amb molt/ amb la dreta

7. Hi ha una llar de foc. Hi ha una terrassa. No, no n'hi ha. Sí que n'hi ha. Hi ha un dormitori. Només n'hi ha una. De vegades n'hi ha més. N'hi ha un al rebedor.

8. hi ha/ hi ha n'hi ha hi ha/ hi ha hi ha hi ha/ n'hi ha hi ha/ hi ha

9. 600/ 729/ 448/ 1. 500/ 1.997/ 3.216/
   34.000/ 60.900/ 112.000/ 396.400/1.400.000/ 5.800.040

10. nou-cents/ cinc-cents trenta-u (un)/ quatre-cents disset/ mil nou-cents cinquanta/ dos mil quatre/ quaranta-cinc mil/ setanta-vuit mil cent/ quatre-cents cinquanta mil/ vuit-cents dinou mil/ tres milions sis-cents tretze mil

11. vuit-centes pessetes/ set-centes vint pessetes/ tres mil cinc-centes pessetes/ vint-i-dues mil pessetes

    vuit-cents dòlars/ set-cents vint dòlars / tres mil cinc-cents dòlars/ vint-i-dos mil dòlars

Unitat 5

1. Josep + Rosa
   Joan + Montserrat — Lola + Narcís — Maria
   Clara Anna Rafel — Lluís

2. Les meves / els meus / la meva / el meu
   el seu / el seu / les seves / el seu / la seva / els seus
   la nostra / els nostres / les nostres / el nostre / el nostre
   la vostra/ el vostre/ el vostre/ la vostra/ els vostres

3. el meu avi / el meu germà, la meva mare / el meu pare, la meva dona(esposa) / el meu nét, la meva germana / les meves nebodes, els meus nebots / la meva cunyada, la meva àvia / la meva tia, El meu oncle / el meu cosí, el meu marit (home)/ les meves filles

4. els fills / els avis / el germà/ la germana/ la cosina / els cosins / el nét / les nétes / els nebots / les nebodes / els oncles / les ties

6. sap / estan saben sabem / està sé /estic saps sé / esteu estan /sap estàs / Saps

7. ells / ells / ells / ell / tu / ells / vosaltres

8. El meu germà està separat. El vostre nebot és solter? El meu cosí és divorciat. El seu nét viu a Mataró. Està content el teu marit? Viu amb el seu fill casat.

9. La meva filla està avorrida de la feina. La teva cunyada està enfadada amb tu. És una nena molt trista. Aquesta noia és la nostra germana. La nostra neboda petita viu a Rubí. Aquella dona és la vostra àvia, oi?

10. març / dentista / cap germà (germans) / a l'ajuntament de Caldes / Castells i Pons / Verdaguer

Test 1

A. 1-a 2-c 3-a 4-a 5-b 6-b 7-b 8-a 9-c 10-c
B. 1-a 2-b 3-c 4-c 5-c 6-c 7-a 8-b 9-b 10-b

Unitat 6

1. els prestatges, l'ordinador, el rellotge, la porta
la peixera, l'armari, la cadira, el llum
els llibres, el quadre, la paperera, el pany, els papers, el televisor
la bossa, la catifa, la taula, els coixins
els calaixos, la ràdio, el gerro, els diaris

2. La paperera és sota la taula. La peixera és sobre el prestatge. El llum és al costat de la porta. La cadira és davant l'ordinador, El rellotge és sobre la porta. Els diaris són sobre i sota la taula. Els llibres són sobre el prestatge. Els peixos són dins la peixera.

3. enlloc, darrere, sota, fora, sobre, fora.

4. enlloc / pertot arreu / dintre (dins) / darrere (sobre) / sota (entre) / entre (sota) / dintre (dins)

6. No, no hi és. No, no hi és . Sí que hi és.
No, no hi són. No, no hi són. Sí que hi són.

7. un quadre modern / un diari vell / un ordinador antic / un petó delicat / el llumí gros / la paperera plena / la taula neta / la porta oberta / el peix vermell

8. els diaris / són / els calaixos, uns miralls antics / uns quadres moderns ,
Els ordinadors nous / armaris, unes cadires modernes /còmodes , Aquests coixins / vells i bruts
les claus / els rellotges, Aquests gerros / són plens,
Són uns prestatges / prims / uns llibres / gruixuts

9. petit / vell / brut / antic / prim / obert / ple

Unitat 7

1. Miquel / Carme / Jordi / Mercè / Júlia / Rafel

2. grassa / baixa / jove / atractiu / arrissats / llargs / pocs / alt

3. baix/ moreno, gran/ morena, grans/ prims, primes/ baixes
alt/ ros/ gras, jove/ rossa/ grassa, joves / alts/ grassos, joves/ altes/ rosses

4. sóc / anys /aviat / metre / rossa / llargs

5. té / Tenen / Són / estan / fan / porten / treballen

7. Carme / Mercè / Júlia / Jordi / Miquel

8. coneixeu / coneixen / conec / coneix / Coneixes / coneixem

9. A = Miquel B = Júlia

10. La Mercè és alta i la Júlia també ho és. La Carme és grassa però la Júlia no ho és.
El Jordi és dependent i el seu fill també ho és. El Miquel i la Mercè semblen germans però no ho són.
El meu germà ara és ros, però abans no ho era. La Carme està contenta i el seu amic també ho està.
El Rafel va cada dia al gimnàs però el Francesc ni hi va mai. La Mercè viu a Vilanova i la
Júlia ara també hi viu.

Unitat 8

1. Al Pirineu. / Divendres a la tarda. / Es van llevar d'hora i van esmorzar. La senyora Puig va esquiar i el senyor Puig va passejar i va prendre el sol. / Un entrepà. / Es van dutxar./
Van comprar productes típics. / Van assistir a un concert de música popular. / Va anar a ballar sardanes i va visitar una exposició de fotografia. / Va tornar a les pistes (a esquiar)./
Van descansar una estona. / A quarts de sis de la tarda. / Molt cansats, però satisfets.

2. van anar / van dinar / va carregar/ va descarregar / vaig assistir / vas marxar /
va sortir / es va llevar / us vau dutxar/ vau acabar.

3. vam passar / Vam anar / vaig esquiar / va preferir / es va quedar / Va fer/ va ploure /
va nevar / vaig prendre / em vaig cansar

4. ahir / ara, ara / ahir, ahir / ara, ahir / ara, ahir / ara, ara / ahir, ahir / ara, ara/ ahir

5. van anar / vas / vaig anar / vam anar / aneu / vau anar / vas anar / van

7. Va començar / va anar/ es va traslladar/ Va conèixer/ van crear/ van actuar/ Es van casar/
van tenir/ va sortir/ va començar.

8. Em / Ens / Es / Et / Us / Es

9. van dedicar-se / vam trobar-nos / vas dir-me / Vau casar-vos / Vas escoltar-te /Us vau divertir /
ens van acompanyar / em vaig examinar.

Unitat 9

1. Que hi ha (Que hi és) / no hi és
   Que hi ha (Que hi és) / s'equivoca
   no hi és

2. A-3, B-1, C-4, D-2

3. Ajuda carretera/ Electricitat/ Lloguer de cotxes

4. Va menjar pa. És la meva cunyada. Va arribar diumenge. Riu d'alegria. Dorm a l'habitació. Diu que sí. Bé. Escriu molt bé.

5. Quants / Quant / Quanta / Quantes / Quants / Quant / Quantes / Quants/ Quanta

6. Qui / Per què / Què

7. vol / pot / va volen / poden / van vaig / poden

8. el Ricard i la Carme de la telenovel·la es casen / el Ricard i la Carme de la telenovel·la es casen / què fa / tot això

9. No, no ho coneixem. / Sí, sempre fa el que vol. / Sí que ho sabem. / No hi podeu anar. / Sí, sempre hi vaig. / No, no ho sé. / No, no tinc el que em vas demanar. / Sí, ara hi anem. / No, no ho compro perquè no tinc diners./ Al Tibidabo, no hi puc anar.

Unitat 10

1. amanida/ sopa de peix
   calamars a la planxa/ bistec amb patates (poc cuit)
   aigua mineral amb gas/ vi negre

2. el tallem i el posem a la plata.
   Agafem els tomàquets, els rentem, els tallem i els posem a la plata al voltant de l'enciam.
   Agafem la ceba, la pelem, la tallem i la posem per sobre.
   Obrim un pot d'olives i les posem al damunt de l'amanida I ja la podem servir!

3. El / Les / Les / La / El / La / El / Els / Els / El

4. sec/ cuita/ fregides/ dur/ fregit/ descremada/ blanc/ grossos/ madur

5. En tinc / en tenim / en vull / n'hi ha / n'agafo / en porto / en tenim / en volem

6. en / 0 / en / n' / 0 / n'

7. en / ho / les el /en / ho en/els/ ho ho / en / el / el en / ho / les en / ho / els

8. ho / ho n' / El la/ la en /en el les / els / ho la

Test 2

A. 1-a 2-b 3-c 4-a 5-a 6-b 7-c 8-c 9-c 10-b
B. 1-c 2-b 3-b 4-b 5-b 6-c 7-c 8-b 9-a 10-b

Unitat 11

1. Pere / Sra. Mercè / Júlia / Srs. Vila

2. moltíssim / molt / força / no / gaire / gens
   moltíssim / li agrada molt / li agrada força / no li agrada gaire / no li agrada gens

3. li / Li / li / li els / els / els

4. li / la muntanya ens / els gossos us / el mar t' / els aeroports
   m' / els viatges llargs li / llegir us / els parcs aquàtics
   els / aquest gat

6. li / ens / m' / els / t' / us / t' / els

7. verd / tardor / por / cotxe / ocells / mestre

8. Quina/ Quin/ Quins/ Quina / Quins/ Quina / Quines/ Quins

9. Què/ Quines/ Què/ Quins/ Quina/ Quin/ Quins/ Qui

Unitat 12

1. malament / millor / tothom / la setmana vinent / molt / excel.lents

2. diverteix- divertir llegeixo- llegir aplaudeix- aplaudir prefereixo- preferir discuteixo- discutir
   dorm/dormo- dormir segueixo -seguir sento -sentir

3. pateix / es deprimeix / s'avorreix / seguim / llegim / repetim / ens atrevim

4. ell / nosaltres / ell / ell / ell / tu / jo / vosaltres

5. llegeixo/ segueixo dorm /condueix/ discuteix sortiu / aplaudiu/ dormiu
   omples/ sents / llegeixes prefereixen /obren / repeteixen

6. Té molta feina. / Ningú parla d'això. / Té molts amics. / La Tina no té cap problema. /
   Parla amb tothom. / Una situació molt envejable.

7. una / cap / res cap / gens / res tothom / cap / ningú

8. gens de / cap / cap gens de / cap / cap /gens de
   gens / cap / cap/ gens gens / gens / gens / cap

9. cap / cap / res / res/ cap / cap / res

10. No / res No / gens No / enlloc No / ningú No / gens No / cap No / gens No / ningú

11. No segueix el Pere per enlloc. No llegeix res. No sent gens de fred. No discuteix res. No coneix ningú. No obrim cap finestra. No presumeix amb ningú. No reparteixen cap entrepà.

Unitat 13

1. A Vilanova. Dues germanes. A cuit i amagar. Passsava les vacances al poble de la seva mare. Tocava la guitarra. Cridaven. Al mercat . Estudiava. Ajudava els pares al restaurant. Als divuit anys.

2. Ells / tu / Vosaltres / Nosaltres / Jo / vosaltres / Nosaltres / Jo - Ell

3. cantaven / amagaves / tocàveu / sortíem / discutien / discutíem / esperava / ajudàveu

4. passàvem / ens banyàvem / ens reuníem / jugàvem / ens imaginàvem / tocava / cantava / tocava /ens avorríem

5. Tu / ells / nosaltres / Vosaltres / Tu / ells / Tu

6. es deien / Vivien / Tenien / cuidaven / era / hi havia / eren / estaven / Passaven/ esperaven/ anàvem/ feien

7. deies / dius mirem / miràvem sortíeu / sortiu tornem/ tornàvem
dormien / dormen pateixes / paties fan / feien anava / vaig

9. sempre / sovint / de tant en tant / mai / en

Unitat 14

1. va ser /van dir / Va dormir / va dinar / va tenir / va estar / vaig explicar / va anar

2. ha tornat / heu treballat / has mirat / ha operat / s'han trobat / he estat / ens hem descuidat / he arribat / m'he adormit

3. he anat / he quedat / hem passat / hem parlat / he tornat / he pogut/ he vist

4. ha pogut ha fet / ha viscut hem estat / hem sabut han escrit / han volgut
has entès / has pogut ha hagut / han conegut han volgut / han vist

6. vau llegir / van fer / portava / he entès / va haver / ha trobat / vaig veure / Heu estat

7. Ahir / Avui / Avui / Ahir / Avui / Avui / Ahir

8. el cap/ la cara/ el braç/ el colze/ el dit/ la cama/ el peu/ els cabells/ l'orella/ el coll/ el pit/ la panxa/ la mà/ el genoll

9. malament / mal / molt   mal res / bé   mal / mala / res   gens / mal / molt

10. han operat / vaig veure / s'ha pres / ha tossit / vam començar / s'ha trobat

11. han pres / han fet / s'ha posat / ha plegat / Ha amagat / ha explicat / ha volgut / ha demanat

Unitat 15

1. V, F, V, F, F, V

2. em llevaré / acompanyaré / es banyarà / pescaré / passejaré (passejarem) / dinaré (dinarem) / tornaré (tornarem)

3. caminarem / dinaran / arribarà / ens acomiadarem / ompliràs / comprarà / llegireu

4. faran / aniran / vindrem / podrem / viuré / aniré / sabreu / teniu / voldràs / podràs / sabrà / vindrà / tindrem / farem

5. Arribareu / voldreu / deixarem / esperaran / visitareu / anireu / navegareu / descobrireu / podreu / sopareu / coneixereu / dormireu / us llevareu / esmorzareu / sabreu / aprofitareu / fareu / veureu / serà / Estareu / Sortireu / us (ens) direu

7. nevarà / farà / farà / plourà / estarà / farà

8. podràs / Et trobaràs / s'acabaran / serà / seran /
Sortiran / canviaràs / faràs / agradaran / seran /
es despertarà / Viuràs

9. he tingut / vaig anar / vaig caure / vaig fer / fa /
treballo / Vaig començar / és / hi ha /
s'ha despertat / telefona / sortim / vaig conèixer / són / Hem fet / estic / passarà

Test 3

A. 1-b 2-c 3-b 4-a 5-c 6-a 7-b 8-a 9-b 10-a
B. 1-a 2-c 3-b 4-c 5-c 6-c 7-b 8-c 9-b 10-c